Serie Infinita

M

pseudonymous bosch

Montena

El papel utilizado para la impresión de este libro ha sido fabricado a partir de madera procedente de bosques y plantaciones gestionadas con los más altos estándares ambientales, garantizando una explotación de los recursos sostenible con el medio ambiente y beneficiosa para las personas.

Por este motivo, Greenpeace acredita que este libro cumple los requisitos ambientales y sociales necesarios para ser considerado un libro «amigo de los bosques». El proyecto «Libros amigos de los bosques» promueve la conservación y el uso sostenible de los bosques, en especial de los Bosques Primarios, los últimos bosques vírgenes del planeta.

Título original: *The Name of This Book is Secret*
Publicado originalmente por Little, Brown and Company. Hachette Book Group USA. 237 Park Avenue, New York, NY 10017
Adaptación del diseño de la cubierta de Kirk Benshoff: Random House Mondadori

Primera edición: abril de 2009

Printed in Spain – Impreso en España

ISBN: 978-84-8441-509-1
Depósito legal: B-8.870-2009

Compuesto en Fotocomposición 2000, S. A.
Impreso en Novagrafik
Vivaldi, 5. Montcada i Reixac (Barcelona)

Encuadernado en Imbedding

GT 1 5 0 9 1

Para W. P. May

ESTE LIBRO ES SECRETO

ADVERTENCIA:
NO SIGAS LEYENDO

Bien.

Ahora sé que puedo fiarme de ti.

Eres curioso. Eres audaz. Y no te da miedo incumplir las normas.

Pero aclaremos una cosa: si, pese a mi advertencia, insistes en leer este libro, no puedes hacerme responsable de las consecuencias.

Y este es un libro muy peligroso, no te quepa la menor duda.

No, no te explotará en la cara. Ni te arrancará la cabeza de un mordisco. Ni te descuartizará.

Probablemente, no te hará ningún daño. A menos que alguien lo arroje contra ti, lo cual es una posibilidad que no habría que descartar nunca.

Por lo general, los libros no son muy dañinos. Bueno, salvo cuando se leen. Entonces, causan toda clase de problemas.

Los libros pueden, por ejemplo, darnos ideas. No sé si alguna vez se te ha ocurrido una, pero, si es así, ya sabes en qué líos pueden meterte las ideas.

Los libros también pueden provocar emociones. Y las emociones son a veces incluso más fastidiosas que las ideas. Las emociones han inducido a muchas personas a hacer toda clase de cosas que luego lamentan, como, ah, arrojar un libro contra alguien.

No obstante, la principal razón de que este libro sea tan peligroso reside en que trata de un secreto.

Un gran secreto.

Es curioso cómo son los secretos. Si desconoces su existencia, el secreto no te molesta. Tú sigues con tu vida, sin nada que te quite el sueño.

«La, la, la», te pones a cantar. Todo es fantástico. (A lo mejor no cantas justamente «la, la, la», pero ya sabes a qué me refiero.)

No obstante, en cuanto te enteras de que existe, el secreto empieza a corroerte. «¿Cuál es? —te preguntas—. ¿Por qué no debo saberlo? ¿Por qué es tan importante?»

De pronto, te mueres por conocerlo.

Suplicas. Imploras. Amenazas. Engatusas. Prometes que no se lo contarás a nadie. Lo pruebas todo. Rebuscas entre las pertenencias de quien lo sabe. Le tiras de los pelos. Y, cuando eso no da resultado, te tiras de los tuyos.

No saber un secreto es una de las peores cosas del mundo.

No, se me ocurre una peor.

Saberlo.

Sigue leyendo, si no he conseguido disuadirte de que lo hagas.

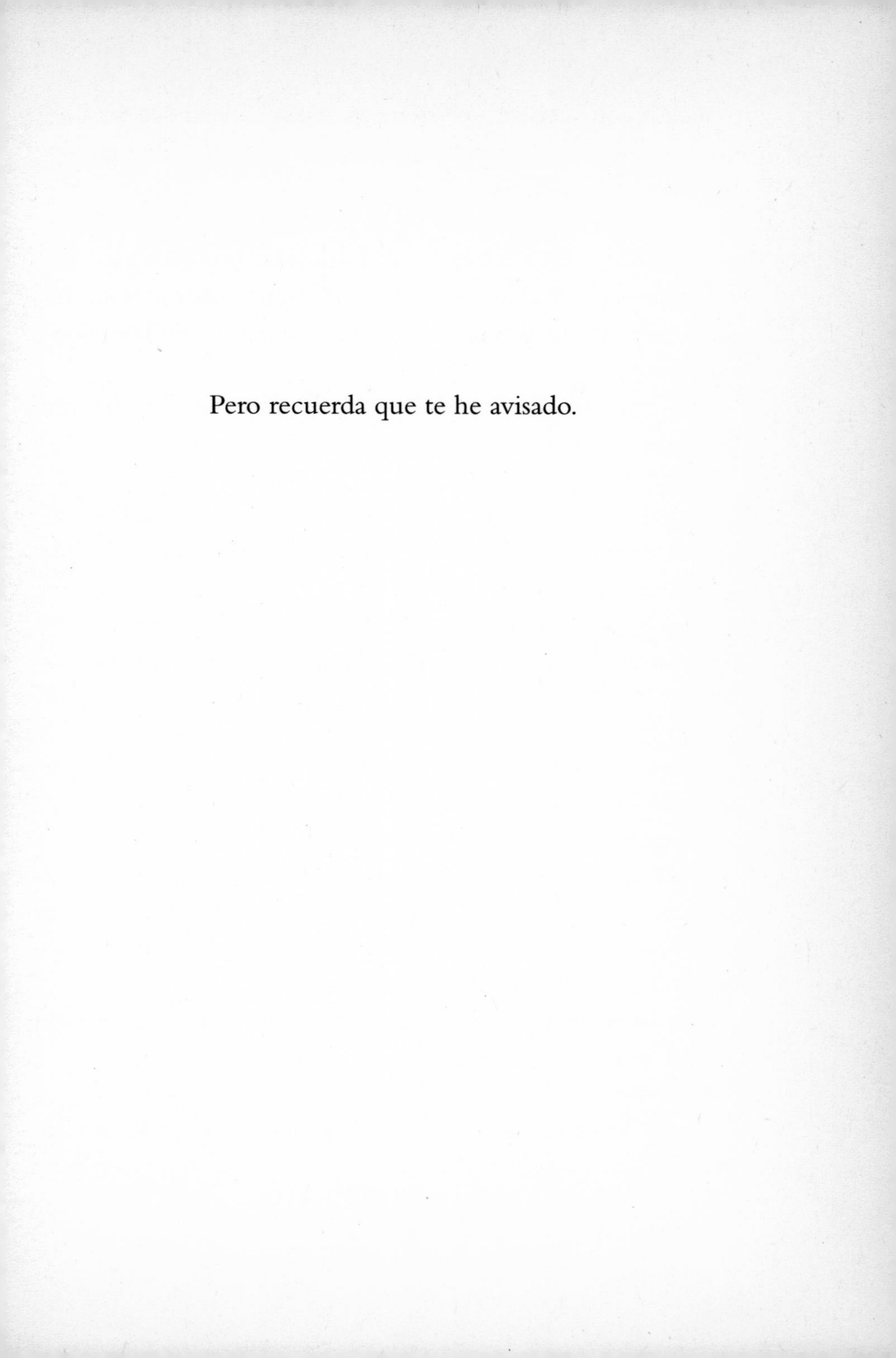

Pero recuerda que te he avisado.

Xxxx xxxx x xxxx, xxxx xxx x xx xxx xxx x xxxx. Xxxx xxxx x xxxxx xxxx xxx Xxxxxxx. Xxxx xxxxxx xxxxx Xxxxxxxxx xxx Xxx-Xxxxxx. Xxxxx xxxxx xxxxxx xxxxx xxx. Xxxxx xxxxxxxxxxxx, xx x xxxxxxxxx.

Xxxxxx xxxxxxxx xxxxxxx x Xxxx xx xxxxxx xxx. Xxxxx x xxxxxxx. ¿Xxxxxx xxxxxxxx xxxxxx xx Xxxxxx Xxxxxxxxxxxxxx? Xxxxxxxxxxxx. Xxxxxxxxxxx. X xxx xxxx xxxx xxxxx xxx xx xxxxx. Xxxxxxx xxxxxx, xxxxxxx xxxxxxxx x xxxxxxxxxx. Xxxxx xxxxx. Xxxxx.

Xxxxxxx xx, xxxx xxxxx, xxxxx xx xxx.

¿Xxxx?, xxx xxx.

Xxxx xxxxxxxxxx xxxxxxx... Xxxxx xxxxxxx Xxxx xxxxx xxxxxx xxxxxxxxxx xxx xxxxxxxxxx xx, xxxxxx xx xxxxxxxx xxxxxxxxxx xxxxxx xxxx xxxx x xxxxxxxx xxx... Xxxxx xxxxxxxx xxx xxxxxx xxx xxxx xxxx xxx Xxxx.

—Xxx. —Xxxxxxxxx—. ¿Xxx xxxxxx?

—¡Xx! —Xxx-Xxxxxx xxxx.

Xxxxxx xxxxxxxx xxxxxxx; x xxxx xx xxxxxx xxx. Xxxx x xxxxxxx. Xxxxxx xxxxxxxx Xxxxx xx xxxxxx, ¿xxxxxxxxxxxxxx? Xxxx xxxxxxxxx. Xxxxxxxxxxx. (Xxx xxx xxx xxx xxxxxxx xxxx xxxxxx.) Xxxx, Xxx-Xxxxxxx xxxxxxxx xxxx xxxxx xx x x xxxxxx xx xxxx. Xxxxxxx xxxxxxxxxxxxx xxxxxxxx x xxxxxxxxxx. Xxxxx xxxx, Xx xxx. Xxxx x xxxx, xxxxx.

Xxxxxxx, xx xxxxxxxx xxxxx. Xxxxx xx xxxxx, xxxx xxxx x xxxxx xxx xxxx. Xxxxxxxxx, Xxxxxx xxxxxxxxxx xxxxxxxxxxx xxx, xxxxx xxxxxx xxxxxxxxxx xxxx xxxx xxxxxxxxxx xxxxxx xxxx xxxx x xxxxx xxxxxx Xxxxxx xxx xx xxxx Xxxxxxxxx xxx…

¿Xxxxxxxxxxxxx Xxxxxxxxxxxxx, xxxxxxxxxxxxxx? Xxxx xxxxxxxxx. ¿Xxxxxxxxxxx? Xxxxxx xxxx xxx xxx xxxxxxx xxxx xxxxxx. Xxxx, xxxxxxxx xxxx xxxxx xx x x xxxxxx xxx xxxx. (Xxxxxxx xxxxxxxxxxxxx xxxxxxxx xxxxxxxxxx.) Xxxxxxx xxxx xxxx Xxxxx xx xxxxx xxx x xxxxxxxx.

—Xxxx. —Xxxx xxxx—. ¡Xxxxxxxxx!

Xxxxxxx xx x xxxxxxxx x Xxx-Xxxxxx xxx, xxxxx xxx xxxx x xxxxxx xxx xxxxx xx xxxxxxxxxxx.

Xxxx, xxxx, xxx xxxxxx, xxxx xxxx xxxxxxx.

Xxxxxx xxxxxxxx xxxxxxx x xxxx xxx Xxxxxx xxx. Xxxx x xxxxxxx. ¿Xxxxxx xxxxxxxx xxxxxx xx xxxxxx xxxxxxxxxxxxxxx? Xxxxxxxxxxxxx. X xxxxxxxxxx. X xxx xxx xxxxxx, Xxx-Xxxxxx xxxxxxxx x xxxxxxxxxx. ¡Xxxxx xxxxx! ¡Xxxxx!

Xxxx Xxxxx xxxxxx x xxxxxxxx.

X xxxxxx xxx x xxxxxxx x xxxx xxxx, Xxxxxxxxx xxx Xxx-Xxxxxx xxxx x xxxxxx xxx xx xxxxx xxxxxx xxxx xxxxxxxx.

Xxx xxx xxxxx.

X xxxxx.

¿Xxxx?

Xxx, Xxxx.

Xxx xx xxxxxx xxx xxxxx…

UNO Y MEDIO

APOLOGÍA*

Te pido disculpas por no haberte dejado leer el primer capítulo de este libro.

De haberlo hecho, te habrías enterado de cómo se llaman los personajes de este relato. También habrías sabido dónde tiene lugar. Y cuándo. Te habrías enterado de todas las cosas que normalmente se saben al principio de un libro.

Por desgracia, yo no puedo decirte ninguna de todas esas cosas.

Sí, esto es un relato sobre un secreto. Pero también es un relato secreto.

Ni siquiera debería estar diciéndote que no debería decírtelo. Fíjate hasta qué punto es secreto.

* Por si te lo estás preguntando, una apología, no es una variedad de insecto. Tampoco es un tipo de tumor canceroso. Es una justificación. En otras palabras, no vale ni lo que cuesta el papel en el que está escrita.

No solo no puedo decirte cómo se llaman sus personajes, sino que ni siquiera puedo contarte qué han hecho ni por qué.

No puedo decirte qué animales domésticos tienen. Ni cuántos latosos hermanos menores. O hermanas mayores mandonas. Ni si les gusta tomarse el helado solo o mezclando sabores.

No puedo hablarte de sus escuelas, amigos o programas de televisión favoritos. Ni decirte si van en monopatín. Ni si se les da bien el ajedrez. Ni si participan en competiciones de esgrima. Ni tan solo si llevan aparatos en los dientes.

En resumen, no puedo decirte nada que pudiera ayudarte a identificar a los personajes de este relato si te los encontraras en la consulta de tu ortodoncista. (La dentadura, como tal vez habrás visto en televisión, es muy útil cuando los detectives identifican cadáveres.)

Todo esto es para protegerte. Y para protegerme a mí. E incluso a tus enemigos. (Ya sabes, esos a los que dices que quieres matar pero a los que, al final, preferirías mantener con vida.)

Aun así, mi silencio debe de parecerte muy frustrante.

¿Cómo puedes seguir un relato si no sabes de quién trata? Alguien tiene que perderse en el bosque, o matar dragones, o viajar en el tiempo, o lo que sea que suceda en el relato.

Tengo una idea: haré un trato contigo.

Para ayudarte a seguir el relato, voy a saltarme mi propia norma —¡tan pronto!— y voy a darte los nombres y a describirte las caras de mis personajes. Pero recuerda que no son sus nombres y caras reales. Son, en cambio, nombres en clave o identidades falsas, como las que tendría un espía o un delincuente.

Si no te gusta uno de los nombres que elijo, cámbialo. Si escribo «A Tim le encantaba hurgarse en la nariz» y tú prefieres Tom a Tim, lee la frase como «A Tom le encantaba hurgarse en la nariz». No me lo tomaré a mal. Puedes hacer lo mismo con todos los nombres de este libro, si quieres.

O conservar los míos. Tú decides.

Por otra parte, del mismo modo que es difícil leer un relato si no se sabe de quién trata, también lo es si no se sabe dónde se desarrolla. Incluso si estuvieras leyendo una historia sobre extraterrestres de otra dimensión, querrías imaginarte algo de su entorno. Por ejemplo, que viven en un tenebroso miasma verde. O en un sitio donde hace muchísimo calor.

Aunque la ubicación real de este relato tendrá que continuar siendo un misterio, para facilitarnos las cosas a todos, ¿por qué no decimos que tiene lugar en «un sitio que conoces muy bien»?

Vamos a llamarlo «tu ciudad».

Cuando leas sobre la ciudad donde viven los personajes, piensa en la ciudad donde vives tú. ¿Es grande o pequeña? ¿Se encuentra junto al mar o junto a un lago? ¿O está hecha de asfalto y centros comerciales? Dímelo tú.

Cuando leas sobre la escuela de los personajes, piensa en «tu escuela». ¿Está instalada en un viejo edificio o en un puñado de módulos prefabricados? Tú decides.

Cuando vayan a casa, imagina que viven en tu calle, quizá en la casa de enfrente.

Quién sabe, puede que sea en tu calle donde se desarrolla este relato. En ese caso, yo no te lo diría. Pero tampoco puedo asegurarte que no es así.

A cambio de toda la libertad que te estoy dando, solo te pido un favor: si en algún momento tengo un desliz y revelo algo que no debo —¡va a sucederme!—, olvida lo que he dicho lo antes posible.

De hecho, mientras leas este libro, te aconsejo que vayas olvidándolo todo nada más leerlo. Si eres una de esas personas que sabe leer con los ojos cerrados, aconsejo que lo hagas. Y si eres ciego y estás leyendo esto en braille, ¡mantén la mano alejada de la página!

¿Por qué escribo en unas circunstancias tan horribles? ¿No sería mejor abandonar por completo la idea de escribir un libro y hacer otra cosa?

Bueno, podría darte un montón de razones.

Podría decirte que escribo este libro para que aprendas de los errores ajenos. Podría decirte que, por muy peligroso que sea escribirlo, sería más peligroso no hacerlo.

Pero la verdadera razón no tiene nada que ver con algo tan glorioso. Es muy sencilla.

No sé guardar un secreto. Nunca he sabido.

Espero que tú tengas más suerte que yo.

DOS
UN MIÉRCOLES

Cierto, no puedo decirte en qué año comienza este relato, ni tan solo en qué mes. Pero no veo ningún mal en decirte el día.

Fue un miércoles.

Un día normal y corriente. El hermano mediano de la familia de los días lectivos. Los miércoles tienen que sudar tinta para que se fijen en ellos. La mayoría de personas los dejan pasar sin hacer comentarios.

Pero no la heroína de nuestra historia. Ella es la clase de persona que se fija en cosas en las que otros no se fijan.

Te presento a Casandra.

El miércoles es su día favorito. Ella opina que es precisamente cuando menos te lo esperas cuando ocurren las peores catástrofes.

Según la mitología griega, Casandra fue una princesa de la antigua Troya. Era muy hermosa y Apolo, el dios del sol, se enamoró de ella.

Cuando Casandra lo rechazó, Apolo se enfadó tanto que le echó una maldición: le concedió el poder de predecir el futuro, pero también se aseguró de que nadie creyera sus vaticinios. Imagina saber que todo tu mundo está a punto de ser destruido por un tornado o un tifón y que nadie te cree cuando lo dices. ¡Qué desgracia!

A diferencia de la Casandra mitológica, la niña que protagoniza nuestro relato no es una profetisa. Ni tampoco ha sido maldecida por ningún dios, al menos que yo sepa. Pero en algo se parece a una profetisa: siempre vaticina catástrofes. Terremotos, huracanes, epidemias: es experta en toda clase de cosas terribles y ve pruebas de ellas por doquier.

Por eso la llamo Casandra, o Cas, para abreviar.

Como bien sabes, no puedo describir a Cas en detalle. Pero te diré esto: por fuera, Cas es una niña de once años normal y corriente. Su rasgo más llamativo es que tiene las orejas puntiagudas y bastante grandes. Y antes de que me digas que no debería haberte hablado de sus orejas, deja que te explique que casi siempre se las tapa con el pelo o una gorra. Así que lo más probable es que no se las veas nunca.

Aunque pueda parecer una niña como las demás, Cas es, en otros aspectos, una persona muy poco corriente. No participa en juegos que conlleven adivinar el porvenir ni salta a la comba ni con cuerdas de ninguna clase. Ni tan solo ve la televisión muy a menudo. No tiene ni un solo par de botas de ante forradas de vellón. Ni siquiera querría tenerlas, a menos que fueran impermeables y pudieran protegerla en una tormenta de nieve.

Como habrás notado, Cas es muy práctica; no tiene tiempo para tonterías.

Su lema: «Hay que estar preparado».

Su misión: asegurarse de que ella, sus amigos y su familia sobreviven a las catástrofes que les sucedan.

Cas es una «superviviente».

Estas son cosas que lleva a diario en su mochila:

Linterna

Brújula

Manta de supervivencia: si no la has probado, te sorprenderás de lo que abriga; también posee útiles propiedades reflectantes

Caja de zumo: habitualmente de uva, sirve de tinta en un apuro

Chicle: por sus propiedades adhesivas y porque mascarlo le ayuda a concentrarse

Mezcla superenergética patentada por ella: chocolate, orejones, plátano deshidratado y patatas fritas de bolsa, todos troceados (¡y siempre sin pasas!)

Mapas topográficos: de todas las zonas desérticas y montañosas más cercanas, así como de la Micronesia y las islas Galápagos

Cuerda

Juego de herramientas

Botiquín de primeros auxilios

Máscara antipolvo

Calcetines y zapatos de recambio: por si hay una riada, inundación, diluvio, etc.

Cerillas: técnicamente prohibidas en la escuela

Navaja de plástico: porque una de verdad está prohibidísima

Libros de texto y deberes: cuando se acuerda, que no es muy a menudo (siempre se le olvida incluirlos en su lista de material)

Si te basas en lo que lleva en su mochila, podrías suponer que Cas ha tenido una vida muy peligrosa. Pero te equivocarías. Lo cierto es que, hasta el momento en que comienza este relato, no le había sucedido ninguna de las catástrofes que había predicho. En la escuela no se había producido ningún terremoto, ninguno tan fuerte como para hacer añicos una ventana, en cualquier caso. El moho de la ducha de su madre resultó ser únicamente eso, no el mortífero hongo que ella había predicho. Y el niño que se había puesto a dar vueltas en el césped no tenía la enfermedad de las vacas locas; solo se estaba divirtiendo.

Lo que molestaba a Cas no era que sus predicciones no se cumplieran. Al fin y al cabo, ella no quería que las catástrofes ocurrieran. Pero no podía evitar desear que la gente se tomara más en serio sus preocupaciones.

En vez de eso, todos le recordaban siempre el cuento de Pedro y el lobo. Naturalmente, según su interpretación, el cuento significaba que Pedro no debería haber gritado que venía el lobo cuando no había ninguno. Pero Cas sabía cuál era la verdadera moraleja del cuento: que Pedro tenía razón; sí había lobos, y acabarían pillándote si no eras precavido.

Mejor pasarte la vida gritando: «Que viene el lobo» que no llegar a hacerlo ni una sola vez.

De todas las personas del mundo, solo dos prestaban atención a las predicciones de Cas: el abuelo Larry y el abuelo Wayne.

Larry y Wayne no eran los abuelos biológicos de Cas. Eran sus abuelos «sustitutos». Larry había sido profesor de historia de la madre de Cas en el instituto y ambos eran amigos desde entonces. Como ninguno de los abuelos originales de Cas seguía vivo, su madre había pedido a Larry y a Wayne que ocuparan su lugar.

Larry y Wayne vivían muy cerca de Cas en un viejo parque de bomberos abandonado. La planta baja, donde antes estaban los coches de bomberos, la habían convertido en tienda de antigüedades y almacén. Vivían en el primer piso, donde, en los viejos tiempos, habían dormido los bomberos entre un incendio y el siguiente.

Todos los miércoles después de clase, Cas tenía que trabajar en su tienda hasta que su madre llamaba para informar de que la cena estaba lista. Pero, en verdad, en el parque de bomberos se trabaja bien poco.

—Llegas justo a tiempo para el té —decía el abuelo Larry siempre que ella iba a verlos.

El abuelo Larry no era británico, pero había pasado un tiempo en Inglaterra cuando estaba en el ejército y se había vuelto un adicto al té. A Cas, sus complicados rituales para hacer el té le parecían un poco absurdos, pero le encantaban las galletas que horneaba y las historias que contaba mientras el té reposaba. Para entonces, Cas ya sospechaba que casi todas sus historias estaban exageradas, si no enteramente inventadas, pero siempre incluían información útil, por ejemplo cómo montar una tienda de campaña en una tormenta de arena o cómo ordeñar una camella.

El miércoles en que comienza este relato, Larry estaba enseñando a Cas el modo de fabricar una brújula colocando un corcho en una palangana llena de agua.* La brújula estaba casi terminada, y el corcho a punto de señalar el norte, cuando el basset de sus abuelos, Sebastian, se puso a ladrar tan fuerte que el agua rebosó por el borde de la palangana.

Sebastian era ciego y, ahora que se estaba haciendo viejo, casi se había quedado sordo. Pero tenía el mejor olfato de toda la ciudad —todo el mundo lo llamaba «Sebastian, el perro que ve por el hocico»— y siempre sabía cuándo estaban a punto de entrar visitantes en la tienda.

—¡Simulacro de incendio! —gritó desde abajo el abuelo Wayne, lo cual era su código para cuando tenían un cliente.

—Me parece que la brújula va a tener que esperar —refunfuñó el abuelo Larry—. Anda, agáchate. El humo siempre sube, así que la mejor forma de seguir respirando es quedarse cerca del suelo.

Él y Cas se agacharon y se taparon la nariz con la camiseta, como si la habitación se estuviera llenado de humo. Larry señaló la vieja barra deslizante de latón:

—Las damas primero.

Cas se agarró encantada a la barra para saltar por el hueco.

—Espera —dijo Larry—. ¿Prometes no contárselo a tu madre?

—Prometido —dijo Cas, comenzando ya a deslizarse por ella.

Pese a que era su oficio, los abuelos de Cas no podían soportar vender nada; estaban demasiado encariñados con todas sus cosas.

* Para la receta del abuelo Larry sobre cómo fabricar una brújula, consulta el Apéndice. Eso está al final del libro, por cierto, no dentro de tu cuerpo.

En consecuencia, su tienda estaba tan atestada de objetos que era como un enorme laberinto con muebles por paredes. Todas las superficies estaban repletas de las cosas que habían ido reuniendo —desde viejos cuadros de payasos o monos mecánicos hasta máquinas de escribir rotas o cosas que no sabrías describir si lo intentaras.

Una vez abajo, Larry y Cas vieron que la puerta se estaba abriendo para revelar un par de cortas piernas tambaleándose bajo el peso de una enorme caja de cartón.

Nada más ver la caja, Larry corrió hasta la puerta y puso los brazos en cruz, cerrando el paso a la recién llegada.

—¡No, no, no! ¡Eso no se hace! —dijo severamente, como si estuviera dirigiéndose a un perro y no a una persona—. Gloria, ya te lo dije la última vez. No traigas más cosas. Mira a tu alrededor. Estamos hasta los topes.

—Al menos, deja que la ponga un momento en el suelo —se quejó la mujer oculta tras la caja.

Compadeciéndose de ella, Larry cogió la caja y la dejó frente a la puerta. Una mujer rechoncha vestida con un llamativo traje amarillo lo miró con el ceño fruncido. Era Gloria Fortune.

—¿Ni siquiera quieres saber de dónde viene? —preguntó, aún colorada y resollando bajo su voluminoso alto y peinado—. Unas cosas tan fascinantes... Bueno, ¡no importa! —dijo alegremente—. ¿Hay un contenedor de basura detrás?

Larry casi se atragantó.

—¡No! Es decir, sí, hay un contenedor de basura detrás, pero... ¿no pensarás... no irás a tirar esa caja a la basura? —preguntó, como si Gloria fuera una malévola asesina.

Gloria sonrió ladinamente mientras se retorcía un tirabuzón que se le había soltado.

—Lo siento, Larry. Tú eres mi último recurso. A mí ya no me queda sitio.

Larry vaciló.

—En ese caso, ¿por qué no entras a tomarte un té mientras yo le echo un vistazo antes de que hagas nada precipitado?

Gloria sonrió victoriosamente.

—No lo lamentarás —dijo, entrando en la tienda.

Sumisamente, Larry cogió la caja y entró detrás de ella.

—Perdona —susurró a Cas—. Tardaré solo un segundo, hum, minuto, hum, cinco, hum, diez... veinte minutos como mucho...

Gloria, como Cas supo mientras se tomaba su tercera —¿o era su cuarta?— taza de té, era una agente inmobiliaria especializada en vender casas después de que sus propietarios fallecieran. Era, de hecho, agente inmobiliaria de los muertos.

A Gloria le encantaban los chismes y Larry siempre estaba dispuesto a escuchar historias macabras sobre sus clientes fallecidos. (Wayne, que había sido mecánico de coches, siempre se iba a arreglar cualquier cosa cuando venía Gloria.) La caja que ella acababa de traer provenía del hogar de un «hombre extraño y huraño, una especie de mago. Lo que yo llamo un viejo excéntrico», dijo Gloria.

—Ten cuidado, Gloria —dijo el abuelo Larry—. ¡Algunos somos viejos y bastante excéntricos!

El mago, continuó diciendo Gloria sin hacer caso a su comentario, había muerto repentinamente hacía varios meses al incendiársele la cocina. El origen del incendio no había llegado a determinarse. No tenía ningún pariente o superviviente conocido. «Ni un solo amigo, pobre hombre.»

Como la casa del mago estaba «donde Cristo perdió el gorro», su muerte podría no haberse descubierto nunca si su jardinero no hubiera ido a investigar el horrible olor que provenía de la cocina.

Cas asintió expertamente con la cabeza al oír aquella información.

—El olor a carne en descomposición puede ser muy fuerte —dijo, intentando demostrar que estaba familiarizada con casos como aquel (aunque debo decir que sus conocimientos en materia de cadáveres no eran todavía de primera mano).

—Cierto —dijo altivamente Gloria—. Pero, de hecho, el jardinero olió a otra cosa. A azufre, dijo. A *uova marce*.

—Eso significa «huevos podridos» en italiano —dijo Cas, que estaba estudiando el idioma en la escuela.

—Creía que significaba «niñas parlanchinas» —dijo mordazmente Gloria.

Cas juzgó prudente no decir nada más y se marchó a hacer los deberes, fingiendo que la historia del mago muerto ya no le interesaba. Pero siguió escuchando, a hurtadillas, mientras Gloria terminaba de explicarla.

De hecho, apenas había quedado nada del cuerpo del mago, oliera mal o no. El fuego había sido tan violento que solo se habían salvado de sus garras unas cuantas piezas de su dentadura. (¿Ves? Ya te había advertido sobre la importancia de los dientes.) Curiosamente, aunque la cocina había quedado carbonizada por completo, el resto de la casa estaba intacto, como si el fuego se hubiera extinguido tan deprisa como había empezado.

Según Gloria, el origen del desagradable olor no había llegado a descubrirse y aún quedaban vestigios de él. Esperaba que eso no entorpeciera la venta de la casa, que ya iba a ser difícil gracias al carácter «excéntrico y poco convencional de su dueño».

Gloria pronunció aquellas palabras como si fueran ligeramente desagradables, pero a Cas, que desconocía su significado exacto, le pareció que sonaban magníficamente bien. Decidió que, si alguna vez se compraba una casa, querría que fuera idéntica a la del mago.

Cuando Gloria se hubo marchado, Wayne se reunió con Larry y Cas para mirar las cosas del mago. En su mayor parte, el contenido de la caja fue decepcionante. Lo que Gloria había descrito como un «artilugio para mezclar pociones» resultó ser una batidora corriente. Y lo que, según ella, era «algo para hacer desaparecer objetos» era, de hecho, la barra de unas pesas.

Creían que ya lo habían sacado todo cuando Sebastian comenzó a ladrar agitadamente. El perro ciego se puso a dar vueltas alrededor de la caja, olisqueándola, como si dentro hubiera algo que estuviera loco por tener. O loco por eludir. O ambas cosas.

Cas retiró los últimos periódicos que quedaban en el fondo de la caja y vio algo que antes se les había pasado por alto: otra caja. Los ladridos de Sebastian se tornaron más fuertes cuando la sacó.

La caja era plana, más o menos del tamaño de un maletín, y tenía las bisagras y los cierres metálicos. Estaba hecha de una madera estriada de un color rojizo bastante oscuro, y tenía tallado el dibujo de un rostro alzado rodeado de flores y plantas trepadoras entrelazadas. El rostro estaba de perfil, inhalando lo que parecía una voluta de humo.

—Palisandro —dijo Wayne, cogiendo la caja para poder examinarla con más detenimiento—. Es demasiado grande para ser una caja de puros... ¿Puede ser la caja de una cubertería?

Larry asintió con la cabeza.

—Probablemente... *Art Nouveau*. Tiene unos cien años. ¿Francesa?* —Cogió la caja y la levantó para mirarla por debajo—. No lleva marca. Parece única en su clase.

—¿Puedo abrirla? —preguntó Cas. Por experiencia, sabía que sus abuelos podían seguir hablando durante horas si no los detenía.

Wayne dio un codazo a Larry y él dio la caja a Cas.

—Adelante —dijo, aunque, sin duda, le habría encantado abrirla a él.

Rodeada de sus dos abuelos, Cas abrió cuidadosamente el cierre y levantó la tapa. Por los gritos que sofocaron ellos, supo que jamás habían visto nada igual. Ella, desde luego, nunca lo había hecho.

La caja estaba forrada de un lustroso terciopelo morado. Sobre el terciopelo, ordenados en cuatro semicírculos concéntricos, había docenas de centelleantes frascos de cristal. La mayoría de ellos (más tarde, Cas contó noventa y nueve) contenían líquidos de diversos colores: agua verde manzana, aceite de un tono ambarino, alcohol de una alarmante tonalidad verdosa. Otros frascos estaban llenos de polvos de diversos grados de finura; otros, de pétalos de flores, hojas, hierbas y es-

* *Art Nouveau* significa «arte nuevo» en francés, pero, como ya habrás deducido, es, de hecho, un estilo muy antiguo que, en castellano, se denomina «modernismo». Si vas alguna vez a París, y espero que lo hagas, te darás cuenta de que algunas de las entradas de metro están hechas para asemejar plantas trepadoras que crecen de la acera: una selva modernista.

pecias, trocitos de madera y corteza, incluso tierra. Un frasco contenía un solo cabello.

—¿Qué es esto? ¿Un juego de química? —se preguntó Cas en voz alta.

—Hum, podría ser —dijo Larry.

Al tocar el terciopelo por primera vez, Cas palpó algo que estaba oculto por un pliegue: una plaquita metálica donde habían grabado las palabras:

La Sinfonía de Olores

—¿La Sinfonía de Olores?

—A lo mejor sirve para fabricar perfumes —sugirió Wayne.

Cas sacó un frasco y lo abrió. El aire se impregnó de un fuerte olor a cítrico.

—¿Limón? —aventuró.

Dio el frasco a Wayne y sacó otro. Se pasaron los minutos siguientes abriendo frascos e intentando adivinar las fragancias que contenían: menta, lima, zarzaparrilla («sasafrás», la llamó Larry), lana mojada, calcetines viejos, hierba recién cortada.

—Creo que es alguna clase de juego —dijo Cas, que se lo estaba pasando en grande—, para educar el sentido del olfato. Si uno es detective, por ejemplo. Para saber qué está oliendo en una emergencia. O en el escenario de un crimen.

—Sea lo que sea, ya me estoy saturando —dijo Larry.

—Solo uno más —dijo Cas, cogiendo el último frasco de la segunda hilera. Estaba agrietado y casi vacío, salvo por una pizca de polvo amarillo muy fino. Lo abrió y reconoció el olor de inmediato.

Olía a *ouva marce.* Huevos podridos.

TRES
TE PRESENTO A... MAX-ERNEST

Pregunta: ¿Qué es insuficiente para uno, ideal para dos y excesivo para tres?
Respuesta: Un secreto.

Max-Ernest, un niño de once años aspirante a cómico, había leído el chiste —el acertijo, de hecho, si queremos ponernos técnicos— en uno de sus diecisiete libros de chistes y acababa de probarlo con cada uno de sus veinte compañeros de clase.

Ninguno de ellos se había reído. Ni tan solo sonreído.

La mayoría estaban tan hartos de sus chistes que ni se molestaron en responderle. Los que lo hicieron, dijeron cosas como «Ya», «Si tú lo dices», «Vaya estupidez», «Déjalo ya. ¡Tus chistes son un rollo, Max-Ernest!» o «¿Por qué no puedes tener solo un nombre como una persona normal y corriente?»

Tú o yo nos pondríamos probablemente a llorar si nuestros chistes provocaran unas reacciones tan negativas, pero Max-

Ernest ya estaba acostumbrado. Jamás se dejaba afectar por lo que decían los demás.

Iba a ser el cómico mejor y más gracioso de todos los tiempos. Solo necesitaba practicar.

Inspeccionó el patio en busca de un alumno que aún no hubiera oído su chiste. Solo había una. Estaba acuclillada al borde del campo de fútbol, con una gorra de béisbol en el suelo junto a ella.

No la conocía personalmente porque no coincidían en ninguna clase. Pero la reconoció por un cierto rasgo físico: sus orejas grandes y puntiagudas.

Como ya he cometido el error de describir el rasgo más identificable de Cas (¡sí, sus orejas! Creía que no las enseñaba nunca, pero supongo que estaba equivocado), más vale que describa a nuestro otro héroe, Max-Ernest. Pero ¿recuerdas lo que he dicho de olvidarte de lo que digo? Intenta borrar de tu mente la imagen de Max-Ernest lo antes posible, por tu propia seguridad.

Aparte de su baja estatura, lo primero que te habría llamado la atención de Max-Ernest habría sido su pelo. Siempre lo tenía de punta, como si fuera un personaje de dibujos animados que acaba de meter el dedo en un enchufe.

No iba peinado así porque le gustara esa moda; sus motivos eran filosóficos. Max-Ernest se cortaba todos los pelos de la cabeza a la misma longitud exacta porque no quería hacer favoritismos. «Los pelos pueden estar hechos de células muertas —razonaba—, pero aun así crecen, y todos merecen un trato justo.» (Si opinas que este punto de vista es un poco excéntrico, bueno, tengo que darte la razón.)

Que el pelo está muerto pero sigue creciendo es lo que llamamos una paradoja: algo que parece imposible pero que, no obstante, es cierto. A Max-Ernest le encantaban las paradojas, al igual que toda clase de acertijos, enigmas y juegos de palabras.

También le gustaban las matemáticas. Y la historia. Y las ciencias. Y todas las asignaturas que se te ocurran.

Pese a su minúscula estatura, Max-Ernest llamaba la atención dondequiera que fuera. No podía evitarlo. Como pronto descubrirás, Max-Ernest era parlanchín. Muy parlanchín. Hablaba sin cesar. Incluso en sueños.

Su «enfermedad», como la llamaban sus padres, era tan extrema que ellos lo habían llevado a numerosos expertos con la esperanza de que le hicieran un diagnóstico.

El primer experto dijo que tenía un trastorno de déficit de atención. El segundo, que el primero no sabía de qué hablaba. Otro experto dijo que era autista; otro más, que tenía dotes de artista. Uno afirmó que tenía el síndrome de Gilles de la Tourette. Otro, que tenía el de Asperger. Y uno aseguró que el problema era que sus padres tenían el síndrome de Münchausen.

Aun hubo otro que dijo que lo único que necesitaba era una buena zurra de las de siempre.

Le recetaron pastillas y le prescribieron ejercicios. Pero, cuantos más medios ponían en práctica para intentar curarlo, más se agravaba su enfermedad. En vez de hacerlo callar, cada tratamiento le daba otro tema de que hablar.

Al final, los expertos no fueron más capaces de ponerse de acuerdo en un nombre para la enfermedad de Max-Ernest de lo que sus padres habían sido capaces de ponerse de acuerdo en un nombre para él.

De cómo Max-Ernest dio en llamarse Max-Ernest. Un cuento corto

Max-Ernest fue prematuro: nació unas seis semanas antes de lo previsto.

Antes de su llegada, sus padres no habían hecho nada para prepararse. No tenían cochecito, ni cuna, ni molestos juguetes musicales, ni toallitas para bebé, ni pañales. Por la casa, seguía habiendo muchas cosas puntiagudas y peligrosas.

Y no tenían un nombre para su hijito.

Mientras el arrugado bultito rosa que se convertiría en Max-Ernest se encontraba en la incubadora del hospital, como un pollito (¿o quizá un conejito?) asándose en un horno de cristal, sus padres discutieron sobre cómo llamarlo.

Su madre quería ponerle Max, como su padre, pero su padre quería llamarlo Ernest, como el suyo. Ninguno de los dos quiso ceder. La madre de Max-Ernest declaró que preferiría que su hijo no tuviera nombre a que tuviera uno tan anticuado y rancio como Ernest. Su padre juró que preferiría no tener hijos a que su hijo tuviera un nombre tan mínimo e insignificante como Max.

Como solo tenía unos días de vida, Max-Ernest no podía decir a sus padres qué nombre prefería. Pero eso no los detuvo. Cuando lloraba, su madre lo interpretaba como una prueba de que odiaba el nombre de Ernest y que quería llamarse Max. Cuando le escupía en la barbilla, su padre decía que era una señal de que odiaba el nombre de Max y que quería llamarse Ernest.

Finalmente, una enfermera los amenazó con entregar a su hijo en adopción si no tomaban una decisión de una vez por todas, así que los padres de Max-Ernest decidieron repartir la diferencia e incluir los dos nombres en la partida de nacimiento. Pero la discusión los dejó tan amargados y enfadados que se divorciaron en cuanto pudieron llevarse a su hijo a casa.

Max-Ernest, que ahora tiene once años, lleva mucho tiempo sabiendo hablar con absoluta claridad. Pero, siempre que sus padres le preguntan qué nombre prefiere, como hacen todos los años en el día de su cumpleaños, él se queda mudo. Sabe que elegir un nombre es, de hecho, elegir a uno de sus padres y, como la mayoría de niños, preferiría hacer cualquier cosa antes que eso.

De ahí que Max-Ernest tenga dos nombres hasta el día de hoy, dos nombres que muy probablemente vaya a conservar durante el resto de su vida. Fin.

Justo en el momento en que Max-Ernest la vio desde el otro extremo del patio, Casandra estaba escarbando en el suelo con las manos desnudas. La tierra se le metía continuamente bajo las uñas, y se dijo que tendría que haberse puesto guantes protectores. No era propio de ella no estar preparada.

Miró el lugar bajo las gradas donde un peludo bultito gris yacía en la hierba a unos metros de ella: un ratón muerto.

Desde luego, el ratón podía haber muerto de causas naturales, pensó Cas. Pero, entonces, ¿por qué olía otra vez a huevos podridos? ¿Y si el ratón había muerto de lo mismo que el mago? ¿Y si la ciudad entera estaba construida sobre un vertedero de residuos tóxicos? ¡Si no hacía algo al respecto, todas las personas que conocía morirían!

¿O debería dejarlas morir? A lo mejor no merecían vivir.

Por si aún no te lo has imaginado, Cas tenía un mal día.

Esa mañana, había dicho a la directora, la señora Johnson, que tenía motivos para sospechar que su escuela estaba construida sobre un vertedero de residuos tóxicos. Le había hecho la sensata sugerencia de que evacuara el edificio y ordenara excavar el terreno.

La señora Johnson, que era puntillosísima, la había mirado severamente.

—¿Cuáles son las palabras mágicas, Casandra, tanto si me pides una evacuación como si me pides un vaso de agua?

—«Por favor», evacue la escuela —había dicho Cas con impaciencia.

—Eso está mejor. Pero la respuesta continúa siendo no. ¿Qué te he dicho de Pedro y el lobo?

A partir de ahí, el día no había hecho más que empeorar:

—Me parece que necesitas un Besito.

Amber había pillado a Cas cuando salía del despacho de la directora y ella no había tenido escapatoria. Con Amber, nunca había escapatoria.

Amber era la niña más simpática de la escuela y la tercera más guapa.*

El único fallo de Amber, y se trataba más bien de una costumbre entrañable, era que estaba «enganchadísima», como decía ella, a una marca concreta de cacao labial llamada Besitos Traviesos de Romi y Montana. (Romi y Montana Escaleto, conocidas también como las hermanas Escaleto, eran dos famosas herederas adolescentes que controlaban su propio imperio cosmético; Amber las idolatraba.) Todas las semanas, Amber se compraba un Besito de un sabor diferente y regalaba el de la semana anterior. Casi todas las alumnas considera-

* Nadie sabía cómo se había establecido aquella clasificación; era simplemente un hecho, como la fuerza de la gravedad o los sombreros de la señora Johnson.

ban un honor recibir su Besito usado y se lo colgaban del cuello como una medalla olímpica. Cas, por otra parte, sabía que el único motivo de que Amber le regalara tantos era que le tenía lástima.

Cas no soportaba que la gente le tuviera lástima.

Cada vez que aceptaba un Besito, se prometía rechazar el próximo, pero Amber siempre conseguía pillarla con la guardia bajada. Antes de darse cuenta, Cas se encontraba dándole las gracias entre dientes y metiéndose otro Besito en el bolsillo.

Esa mañana, Amber iba acompañada de Veronica, la segunda niña más guapa de la escuela (y ni siquiera la cuarta o quinta más simpática). Cuando Veronica hubo hablado efusivamente de lo encantadora que era Amber por regalar a Cas su Besito con sabor a sandía (como si fuera un acto de bondad mucho mayor regalárselo a Cas que a cualquier otra persona), Cas intentó conseguir su apoyo para sacar a la luz lo del vertedero de residuos tóxicos. Supuso que, si lograba que Amber y Veronica se pusieran de su parte, la escuela entera apoyaría la causa.

Les dijo que sabía que había un vertedero de residuos tóxicos porque la hierba del campo de fútbol se había vuelto amarilla. Y porque todos los perros del barrio se ponían nerviosos y enderezaban las orejas cuando se acercaban a la escuela.

Pero lo único que Amber dijo fue: «Caray, qué lista eres, Cas». Y se fue con Veronica, sin molestarse en responder a su petición de ayuda.

Cuando creyeron que Cas no las oía, Veronica se echó a reír.

—Por eso tiene esas orejas. Para captar las señales de peligro. Como un perro.

—No seas mala, Veronica —oyó que decía Amber.

Pero también la oyó reírse.

Tapándose la boca con el cuello de la camisa y las manos con los puños, Cas empezó a escarbar con renovado vigor. No iba a permitir que la señora Johnson, Amber ni nadie la detuviera. Y, después, cuando todos le dieran las gracias por salvarles la vida y le rogaran que los perdonara, bueno, entonces ya vería lo que hacía.

De pronto, oyó una voz detrás de su cabeza.

—Hola, tú eres Casandra. Yo soy Max-Ernest. No nos conocemos. Pero yo sé quién eres tú y tú probablemente sabes quién soy yo. Bueno, ahora es evidente que lo sabes. Pero me refiero a que probablemente ya lo sabías porque aquí nos conocemos todos. Aunque no hayamos hablado nunca. ¿No es raro que se pueda conocer y no conocer a alguien al mismo tiempo? ¿Qué te parece?

Al alzar la vista, Cas vio a un niño bajito —una persona malvada podría decir «enclenque»— que la miraba. Era cierto que sabía que se llamaba Max-Ernest, pero solo porque había oído a otros niños quejándose de él. Ya veía por qué los irritaba tanto.

—¿Quieres oír un chiste buenísimo? —le preguntó Max-Ernest.

Cas volvió a ponerse la gorra.

—Si es acerca de mis orejas, ya me los sé todos —dijo, y en un tono no muy alentador.

Max-Ernest tragó nerviosamente saliva.

—Pues a mí me gustan tus orejas. Hacen que parezcas un elfo. En el buen sentido, quiero decir. Bueno, yo las encuentro interesantes porque los elfos son mis humanoides de ficción preferidos. Bueno, los favoritos después de los orcos. Aunque no me gustaría encontrarme con un orco. Además, tú no te pareces en nada a un orco. O a lo mejor debería largarme antes de que me ataques, ¿sí?

Se quedó un momento callado para respirar. Cuando ella no aprovechó la oportunidad para gritarle, continuó:

—Oye, ¿crees que hablo demasiado? Todos lo hacen. No me refiero a que todos hablen demasiado, sino a que todos creen que hablo demasiado. Incluso mis padres. Creen que tengo una enfermedad. Mis padres son psicólogos. Eso significa que son médicos que curan a la gente a fuerza de hablar. ¡Pero mi problema es hablar y ellos no saben curarme! ¿Qué te parece?

Cas no supo qué decir, así que preguntó:

—¿Cuál es el chiste?

—¡Ah, casi se me olvida! ¿Qué es insuficiente para uno, ideal para dos y excesivo para tres?

—¿El qué?

—Un secreto.

Cas no se rió más de lo que lo habían hecho todos los demás.

—No lo pillo.

—Bueno —explicó pacientemente Max-Ernest—, no puedes tener un secreto contigo misma. Necesitas a alguien con quien compartirlo. Con eso son dos personas. Pero deja de ser un secreto si lo saben tres.

Cas reflexionó sobre aquello.

—Pero eso no tiene ninguna lógica. Una persona puede tener un secreto. Tres personas pueden tener un secreto. No importa cuántas personas tengan un secreto, siempre y cuando no se lo cuenten a nadie más.

Max-Ernest la miró sorprendido.

Estaba acostumbrado a que se burlaran de él, le tomaran el pelo, le escupieran y le robaran el almuerzo. Pero hasta entonces nadie le había dicho que no tenía ninguna lógica. Él estaba orgulloso de su mente racional.

—No, no, ¡te equivocas! —farfulló—. ¡Si sabes un secreto de alguien, sigue habiendo dos personas!

Cas se encogió de hombros.

—Bueno, de todas formas, da igual, porque no tiene gracia si hay que explicarlo.

—¿Qué quieres decir? ¿Por qué?

—No sé, porque un chiste hay que captarlo a la primera. No es nada lógico.

—Entonces, ¿cómo sabes si un chiste es gracioso? —preguntó Max-Ernest, extremadamente desconcertado.

—Lo sabes, sin más. A lo mejor es solo que no tienes mucho sentido del humor —sugirió Cas.

—Oh.

Por primera vez, Max-Ernest parecía haberse quedado sin saber qué decir. Cas lo vio tan triste y derrotado que se compadeció de él.

—O a lo mejor es solo que no has dado aún con un buen chiste —añadió.

—Sí, a lo mejor.

Cas no sabía que Max-Ernest llevaba meses probando con un chiste nuevo todos los días.

Max-Ernest se quedó otro segundo callado. Pero solo un segundo. Luego, señaló el agujero en el suelo.

—¿Qué estás buscando? ¿Un tesoro enterrado? Porque los tesoros enterrados no solo existen en los libros, ¿sabes? Hay auténticos tesoros enterrados. Por ejemplo, en los naufragios. ¿Sabías que el *Titanic...?*

—Estoy buscando residuos tóxicos —dijo Cas, interrumpiéndolo antes de que se desviara del tema hablando del *Titanic.*

Max-Ernest asintió con la cabeza en actitud cómplice.

—Sí, he oído que siempre construyen las escuelas sobre vertederos de residuos tóxicos. Porque el terreno es muy barato. Y no se lo dicen a nadie. Y luego todo el mundo se pone enfermo. ¿Quieres que te ayude? Oye, tienen guantes de goma en el laboratorio de ciencias. A lo mejor deberíamos coger unos. La exposición a residuos tóxicos puede causar una erupción cutánea.

Cas sonrió. Puede que, después de todo, Max-Ernest no estuviera tan mal.

CUATRO
UN MENSAJE PARA LOS VIENTOS

Después de su experiencia con Amber y Veronica, Cas había jurado no volver a comentar sus predicciones con nadie. Pero hizo una excepción con Max-Ernest por lo mucho que parecía saber de residuos tóxicos. Cuando regresaron al campo de fútbol con los guantes de laboratorio, Cas se lo había contado todo sobre el mago muerto, el ratón muerto y el misterioso olor a azufre.

Max-Ernest arrugó la nariz.

—Yo no huelo a huevos podridos. ¿Estás segura de que es el mismo olor?

Sugirió que sacaran el frasco de la Sinfonía de Olores y lo compararan con el olor del campo de fútbol. A Cas le fastidió un poco no haber pensado antes en eso ella. No obstante, sacó la caja de madera de su mochila para enseñársela.*

* ¿Por qué estaba la Sinfonía de Olores en la mochila de Cas y no en su sitio en la tienda? Me temo que no puedo explicarlo sin dejar a Cas

Cuando abrió el frasquito con restos de polvo y lo olió, tuvo que admitir que el olor no se parecía mucho al del campo de fútbol. Tal vez se había precipitado en sus conclusiones.

Max-Ernest pegó la nariz al suelo y lo olió.

—Creo que la hierba huele más a ya sabes…

—No, ¿a qué?

—¡Ya sabes, a eso que empieza por «m»! —dijo Max-Ernest, ruborizándose.

Cas puso los ojos en blanco. Pero, cuando olió el suelo, tuvo que admitir que tenía razón.

Entonces se fijó en algo que no había visto antes: a solo tres palmos del ratón, había un montón de abono. ¡Olía a estiércol!

Y también había otra cosa: una caja con el dibujo de una rata dentro de un círculo rojo tachado. Matarratas. Eso era lo que había matado al ratón. Decidió que no era necesario comentar aquello a Max-Ernest. Si él se daba cuenta por sí solo, bien. Si no lo hacía, pues nada. No tenía sentido subirle los humos.

Además, eso no significaba que no hubiera residuos tóxicos. No forzosamente.

Entretanto, Max-Ernest había empezado a examinar la Sinfonía de Olores con más detenimiento.

—¿Habías visto que el fondo se saca? —preguntó.

Cas no lo había visto, pero no se lo dijo. No estaba segura de cuántos más de sus descubrimientos iba a poder tolerar.

Max-Ernest sacó el fondo de terciopelo de la tapa, y un puñado de papeles cayó al suelo.

Cas se puso a ojearlos.

—Beethoven… Mozart… Franz Liszt… ¿Quién es ese?

---

en bastante mal lugar. Pero, hipotéticamente, ¿sería tan grave cogerla si de veras pensaba que estaba salvando vidas?

—Beethoven y Mozart son compositores de música clásica, de hace mucho tiempo —respondió Max-Ernest—. Puede que Franz Liszt también lo sea.

—¡Ya sé quienes son Beethoven y Mozart! Solo me faltaba Liszt —dijo Cas—. Bueno, parecen recetas... ¿Lo ves? Sinfonía número 1: enebro, chocolate, pimienta... Sonata número 12: menta, romero, lavanda... ¿Serán versiones olorosas de la música? ¿Como cuando rascas un libro para ver cómo huele?

—Lo dudo mucho. ¿Cómo va a haber una versión olorosa de una pieza de música? —preguntó Max-Ernest, quien, como ya sabes, siempre era muy lógico—. La música está hecha de sonidos.

—¡Ya lo sé! No digo que sea realmente música. Solo es una idea guay, como, no sé... los elfos y los orcos. Mira.

Alzó una hoja con dibujos hechos a mano y empezó a leer en voz alta:

—Primer violín: jengibre. Viola: arce. Chelo: vainilla.

—¿Es una orquesta?

—Así es: la Sinfonía de Olores. Aquí está el oboe. Es lo que toco yo. Es el regaliz.

—Hum —dijo Max-Ernest, reflexionando sobre la relación del oboe con el regaliz—. ¿Por qué crees que es el regaliz? ¿Te gusta el regaliz?

—El negro no. Pero tampoco me gusta mucho el oboe.

—Sigo sin ver cómo se supone que un olor es música —dijo Max-Ernest.

—A lo mejor tendríamos que tocar una —dijo Cas, señalando las partituras—. U olerla, mejor dicho.

Utilizando los dibujos para localizar sus «instrumentos musicales», intentaron oler a Beethoven, luego a Mozart, luego una sinfonía de Franz Liszt. Todas las partituras olían bien, salvo la de Liszt, pero, al final, hasta Cas tuvo que admitir que no sabía qué tenía aquello de musical.

Cuando volvieron a meter las partituras en la caja, cayó al suelo un trozo de papel que fue arrastrado por el viento. Cas lo cogió justo antes de que cayera en el estiércol. Estaba emborronado y arrugado y tenía los bordes chamuscados, pero pudo distinguir las palabras que llevaba escritas.

—«Un mensaje para los vientos —leyó en voz alta—. Para leerlo, primero hay que olerlo.» —Debajo de aquella nota, habían escrito los nombres de siete instrumentos, uno debajo del otro:

Clarinete
Flauta
Piano
Fagot
Oboe
Arpa
Triángulo

—¿Crees que es alguna clase de mensaje en clave? —preguntó Cas.

Max-Ernest asintió con la cabeza.

—¡Desde luego! Se ve por las instrucciones. Seguro que lo único que tenemos que hacer es convertir los instrumentos en olores.

Basándose en los dibujos, escribieron el nombre del olor correspondiente junto al nombre de cada instrumento. Y el resultado fue este:

Saúco
Orquídea
Caramelo
Orégano
Regaliz
Rododendro
Orejones

Entusiasmados, sacaron los frascos correspondientes de la caja y los olieron en orden. Luego, se miraron expectantes, como si acabaran de hacer un conjuro y estuvieran esperando a que apareciera un fantasma o una visión.

No ocurrió nada.

Probaron a oler todos los olores a la vez, pero aquello solo sirvió para embotarles más el olfato.

—Supongo que nuestros olfatos no son lo bastante agudos —dijo Max-Ernest.

—O puede que, después de todo, no sea un mensaje en clave —dijo Cas, metiendo el trozo de papel en la caja.

Max-Ernest volvió a sacarlo y lo miró atentamente.

—¿Sabes cuando dice «primero hay que olérselo»? —preguntó.

—¿Qué?

—Bueno, fíjate en todas las primeras letras: Saúco. Orquídea. Caramelo. Orégano. Regaliz. Rododendro. Orejones. S-O-C-O-R-R-O. ¡Eso se lee «socorro»!

—¡Tienes razón! —dijo Cas, impresionada pese a no quererlo—. Pero te has equivocado en una cosa.

—¿En qué?

—Uno no lee «Socorro». ¡Lo huele!

Max-Ernest se rió. Luego, le tocó a él molestarse. ¿Por qué tenían gracia los chistes cuando los hacía ella?

—Oye, Max-Ernest —dijo súbitamente Cas.

—¿Sí?

—¿Y si es real?

—¿Qué quieres decir?

—El mensaje. ¿Crees que es del mago? Mira el borde del papel. Parece que haya estado en un incendio. ¿Y si necesita ayuda de verdad?

Se miraron a los ojos, notando el mismo escalofrío en el espinazo.

—Bueno, supongo que no sería la mejor manera de pedir ayuda, ¿no? —dijo Max-Ernest un poco más despacio que de costumbre—. Es decir, podría haber llamado simplemente a alguien..., a la policía, por ejemplo. O a los bomberos. Pero me imagino que, si no quería que se enterara todo el mundo... Si el mensaje solo iba destinado a una determinada persona...

—Fuera quien fuera su destinatario, somos nosotros los que lo hemos leído —señaló Cas—. Eso significa que nosotros debemos ayudarlo.

—¡Pero está muerto!

—No es seguro...

—Es verdad —dijo Max-Ernest, reflexionando—. Y, aunque lo esté, supongo que estaría bien averiguar...

—¡Chist! —Cas se llevó el dedo a los labios, interrumpiéndolo a media frase—. Fíjate en Benjamin Blake.

Un niño pálido y de ojos grandes y penetrantes —Benjamin Blake— estaba parado cerca de ellos, con la nariz levantada, concentrándose.

—¿Crees que está oliendo a regaliz o a orquídea? —susurró Cas.

—¿Cómo saberlo? —le susurró Max-Ernest.

—No sé. ¿Cómo saber nada cuando se trata de Benjamin Blake?

Benjamin Blake suponía un constante motivo de confusión para Cas y, sin duda, también para todos sus compañeros de clase. Si lo hubieran incluido en sus clasificaciones, podrían haberlo nombrado el alumno más alelado o el más raro. Pero lo más extraño de todo era que a los adultos se les caía la baba con él.

Benjamin había ganado recientemente un importante premio de dibujo. Aunque ninguno de sus compañeros se lo podía creer; a juzgar por los dibujos que había colgados en el pasillo de la escuela, no sabía ni dibujar una línea recta. No obstante, habían publicado un dibujo suyo en el periódico, y la señora Johnson había anunciado el premio por megafonía como si se tratara de un acontecimiento histórico importantísimo. Luego, le ofrecieron pintar un mural en el ayuntamiento de su ciudad y hasta fue a Washington DC para recoger el premio. Después de todo aquello, los profesores lo trataban como si fuera una estrella de cine o lo hubieran elegido presidente.

Cuando Benjamin se dio cuenta de que Cas y Max-Ernest lo estaban mirando, se ruborizó y masculló algo.

—¿Qué ha dicho? —preguntó Cas—. ¿Que odia el aloe?

—Creo que ha dicho que oía un oboe —dijo Max-Ernest.

—Es una broma, ¿no?

Max-Ernest negó con la cabeza.

—No.

—Qué raro. Debía de estar espiándonos cuando hemos leído la lista. No me puedo creer que alguien que está siempre tan abstraído pueda ser tan fisgón.

Por un momento, pareció que Benjamin quería decir algo más. Pero cuando Cas cerró la caja de la Sinfonía de Olores, se dio la vuelta y se marchó.

CINCO
MENTIRAS

Por muy diferentes que fueran, Cas y Max-Ernest tenían una cosa en común: ninguno era mentiroso. Era una lástima. Como estoy seguro de que ya sabes por experiencia, saber mentir es muy útil.

Es extremadamente útil, por ejemplo, cuando quieres visitar el escenario de una misteriosa desaparición y un posible asesinato y no crees que tus padres vayan a dejarte ir si saben lo que pretendes.

Cas decidió hacer prácticas mintiendo sobre algo de poca importancia.

Los viernes por la noche su madre siempre llevaba a casa comida hecha del Thai Village, el restaurante tailandés de su barrio. La cocina tailandesa era la favorita de Cas; le gustaban especialmente los fideos de arroz (salvo por el huevo) y los pinchos de carne con salsa de cacahuete. Ese viernes por la noche, mientras mordisqueaba su pincho de carne, dijo:

—Hoy he aprendido en la clase de la señorita Stohl por qué los tailandeses sirven la carne en pinchos.

—Cas, creía que teníamos un pacto con respecto a tu mochila —dijo su madre, quien, o no había oído lo que le había dicho o lo estaba ignorando—. Te habrás dado cuenta de que no he dicho nada de ese desgarrón nuevo que llevas en la rodillera izquierda de tus vaqueros.

El pacto era que, si Cas dejaba de llevar su mochila dentro de casa, su madre dejaría de darle la lata por el estado de su ropa. Normalmente, Cas le habría puntualizado que, diciéndole que no le estaba diciendo nada del desgarrón, le estaba, de hecho, diciendo algo. No obstante, aquella noche tenía que mentir, por lo que no rechistó.

En vez de eso, dejó la mochila en el suelo y volvió a intentarlo.

—¿Sabes por qué sirven los tailandeses la carne en pinchos?

—No —dijo su madre—. ¿Por qué?

—Porque en Tailandia no tienen platos —respondió Cas.

Aquello no era cierto. De hecho, en Tailandia tienen platos. Es más, la señorita Stohl ni siquiera había hablado de Tailandia ese día.

Aunque insignificante, aquella era la primera mentira que Cas decía a su madre y podía notarse el corazón palpitándole en el pecho y la sangre subiéndole a las orejas.

Su madre no pareció darse cuenta.

—¿En serio? Deben de tener algunos platos —dijo—. ¿Qué pasa con los fideos?

—Bueno..., tienen cuencos. Y bandejas para servir cosas —añadió Cas, por si la mentira era demasiado extrema—. Pero no platos normales.

—Pues entonces supongo que lo mejor será que te quitemos el plato —bromeó su madre—. Y puedes comer en el mantel. A lo mejor te gusta.

—Ja, ja. Muy graciosa, Mel —dijo Cas, aliviada de que su madre pareciera dispuesta a creerla sin hacer más preguntas. (La madre de Cas se llamaba Melanie, pero todos la llamaban Mel, incluso Cas cuando quería recalcar algo o simplemente parecer adulta.)

Dado el éxito de su mentira de prueba, Cas decidió seguir adelante y probar con la real. Empezó diciendo la verdad, porque supuso que, si la mitad de lo que decía era cierto, solo estaba mintiendo a medias.*

—Tengo que ir a casa de Max-Ernest mañana —dijo—. Es un niño del colegio. No me has oído hablar nunca de él porque está en la clase del señor Golding, no en la de la señorita Stohl. También es un poco hiperactivo.

Hasta ahí, todo era cierto. Luego vino la mentira.

—Tenemos que hacer un trabajo de ciencia —dijo rápidamente—. Es un experimento donde haces un volcán, pero primero hay que construir la montaña. Nos han emparejado a todos con alguien de la otra clase y tenemos que hacerlo juntos.

Cas vio que su madre solo la estaba escuchando a medias.

—¿Mañana? —preguntó.

—Hay que entregarlo el lunes.

—Vale. Si no vas a estar en casa, a lo mejor voy a yoga. Puedo llevarte. Me va de camino.

* Desde un punto de vista moral, no puedo decir que esté de acuerdo con el razonamiento de Cas. Por otra parte, incluir alguna verdad en una mentira siempre es una técnica eficaz.

—Vive muy cerca. Puedo ir andando.

—No hace falta. Puedo llevarte yo.

La conversación no estaba transcurriendo como Cas quería. Si su madre la llevaba, querría conocer a los padres de Max-Ernest y hablar de lo que iban a hacer sus hijos. El plan de Cas fracasaría.

—Cas, se te están poniendo las orejas rojas. ¿Te preocupa algo?

—No, bueno. No sé...

Había llegado el momento de sacar lo que llaman «armamento pesado», esos argumentos especiales que se reservan para las emergencias. Cas se armó de valor y dijo:

—Es solo... ¿te acuerdas de que dijiste que ibas a dejar de ser tan protectora? Dijiste que solo lo hacías porque te sentías mal por tener que trabajar tanto y no poder estar siempre conmigo y que por eso siempre querías que hubiera gente vigilándome, pero estuviste de acuerdo en que no era justo que yo tuviera que sentirme como si estuviera en una cárcel solo porque tú trabajabas tanto. ¡Y ahora es como si volviera a estar prisionera! Y ni siquiera estás trabajando... Además, me llevaré a Sebastian y él me protegerá. Ya se lo he preguntado a Larry, y Wayne y ellos dicen que puedo quedármelo el sábado.

—¿Ese perro viejo y ciego? ¿Y quién va a protegerlo a él?

—Él ve, solo que lo hace por el hocico. Es el «perro que ve por el hocico», ¿recuerdas?

—Vale, vale, si de veras quieres ir andando, ve andando. Solo... ten cuidado, ¿vale? ¡Nada de catástrofes!

Y ya no hizo falta nada más. Cas se sintió momentáneamente culpable por engañar a su madre y recurrir, además, al chantaje emocional, pero enseguida se repuso. En conjunto, su primera experiencia con mentir había ido bastante bien, aunque las orejas hubieran estado a punto de delatarla.

A Max-Ernest le resultó más difícil mentir. Aunque la parte que sus padres no se creyeron fue, curiosamente, la que era verdad.

—¿Tienes una amiga nueva? —preguntó su madre.

—¿Desde cuando te hablan las niñas? —preguntó su padre.

No pretendían ser tan hirientes como la impresión que dieron. Era solo que estaban sorprendidísimos; hasta entonces, Max-Ernest no había tenido nunca ningún amigo.

Lo único que los convenció de que la situación había cambiado fue la aparición de la propia Cas.

Cuando llegó con *Sebastian* el sábado por la mañana, Cas enseguida notó algo extraño en la casa de Max-Ernest. De hecho, sería difícil no notarlo, incluso desde lejos. La casa estaba dividida en dos. Una mitad era blanca y de aspecto geométrico; un agente inmobiliario como Gloria Fortune diría que tenía un diseño «elegante y moderno». La otra mitad era oscura y de madera; Gloria la describiría probablemente como «acogedora y rústica». El lado moderno pertenecía a la madre de Max-Ernest. El lado campestre, a su padre.

Al entrar, Cas observó que el desdoblamiento de personalidad continuaba en el interior de la casa. Ni el padre ni la madre de Max-Ernest podían cruzar al lado que no les pertenecía, algo que Cas dedujo cuando intentó estrechar la mano al padre mientras estaba en la mitad del recibidor que pertenecía a la madre. Casi se cayó al suelo porque esperaba que él le tendiera la mano y no lo hizo.

—Hola, Cas. He oído hablar mucho de ti —le dijo, sonriendo, pero sin moverse de su mitad del recibidor.

—¡Cas, bienvenida! Max-Ernest me ha contado muchísimas cosas de ti —dijo la madre, como si el padre no acabara de decir lo mismo.

Para ella, por lo visto, el padre de Max-Ernest no existía. Y viceversa. Era una situación, como poco, extraña.

Cuando Cas comentó a Max-Ernest que nunca había visto una casa como la suya, él le explicó que, aunque sus padres estaban divorciados, creían que todos los niños debían criarse con sus dos padres en casa. De hecho, eso era lo único en lo que coincidían. En consecuencia, vivían juntos, pero mantenían separadas todas las facetas de su vida, incluyendo la decoración de su hogar.

—En fin. Yo solo tengo a mi madre —dijo Cas—. Así que nuestra casa solo tiene un estilo. —Estuvo a punto de añadir que ya le iba bien así, pero decidió no hacerlo. No quería empezar una discusión cuando ella y Max-Ernest estaban a punto de embarcarse en una importante misión secreta.

Pese a lo raros que eran, Cas encontró a los padres de Max-Ernest muy agradables. Estaban visiblemente entusiasmados de conocer a la primera amiga que su hijo tenía en su vida, y la trataron como si fuera un miembro de la realeza. Dejaron entrar a Sebastian, trayéndole inmediatamente un cuenco de agua cada uno (para gran confusión del perro ciego, que estaba habituado a que le pusieran un solo cuenco de agua). Y ni siquiera protestaron cuando Cas se negó a quitarse la mochila.

—Soy una superviviente —explicó—. Tengo que llevarla siempre puesta.

—Fantástico —dijo la madre de Max-Ernest—. Es importante estar preparado para las emergencias.

—Es estupendo —dijo el padre de Max-Ernest—. Prepararse para las emergencias es importante.

Padre y madre insistieron en hacer el desayuno a Cas: el padre le ofreció tortitas. Luego, la madre le ofreció gofres. Después, cada uno le ofreció lo que le había ofrecido el otro. Cas ya había desayunado, pero sabía que no aceptar nada sería una grosería, así que pidió una tostada, creyendo que sería lo más rápido. En un santiamén, la madre de Max-Ernest le había servido una tostada de pan de molde con un montón de mantequilla. Casi con la misma rapidez, el padre de Max-Ernest le sirvió una tostada de pan integral con confitura de frambuesa.

Antes de que Cas pudiera terminarse una sola de las tostadas, y mucho menos las dos, Max-Ernest dijo que tenían que irse. Cas había planeado explicar que tenían que ir al parque a recoger plantas para su trabajo de ciencias, pero los padres de Max-Ernest estaban tan entusiasmados con que su hijo tuviera una amiga que ni se les ocurrió preguntarles adónde iban.

—¿Qué le pasó a tu padre? —preguntó Max-Ernest cuando la puerta se hubo cerrado a sus espaldas.

—¿Qué quieres decir? ¿Quién dice que haya pasado nada? —preguntó Cas, alejándose rápidamente de la casa de Max-Ernest.

—Bueno, has dicho que solo tenías a tu madre.

—Sí, ¿y?

—Entonces, ¿no has tenido nunca padre?

Cas vaciló, evitando la mirada de Max-Ernest.

—Bueno, sí que lo tuve —dijo, al cabo de un momento—. Murió cuando yo tenía tres años. Electrocutado.

—¡Electrocutado! ¡Caray! —exclamó Max-Ernest, claramente impresionado—. ¿En la silla eléctrica? ¿Mató a alguien?

—¡No! Fue un rayo, idiota. Estaba acampado. Hubo una tormenta. Y él estaba atando la comida a la rama de un árbol, ¿sabes?, para que los osos no pudieran comérsela, y entonces, de pronto, un rayo alcanzó el árbol.

—Oh. Supongo que fue mala suerte, ¿no?

—Sí, bastante. De todos modos, es una especie de secreto. Bueno, no es un secreto, secreto. Solo que no me gusta hablar de ello.

—¿Por qué? Si no mató a nadie ni nada, ¿dónde está el problema?

—No me gusta que la gente me tenga lástima ni nada parecido. Además, ya casi ni me acuerdo de él.

—Vale. Pues entonces no hablaré más de ello, pero…

—Nada de peros. Tenemos que llamar para averiguar dónde está la casa del mago. Venga.

Sin decir nada más, Cas se dirigió a la cabina telefónica que había al final de la calle, con Sebastian pisándole los talones y Max-Ernest apretando el paso para no quedarse rezagado.

SEIS
LA CASA DEL MAGO

La casa de un mago es imposible de encontrar. Al menos, eso es lo que estaba empezando a pensar Cas.

—¿Estás seguro de que la calle es esta? —preguntó.

—¿Cómo iba a estarlo? Es la primera vez que vengo —señaló Max-Ernest.

—Pues... ¿crees que la calle es esta?

—Bueno, en el cartel ponía...

¡Un momento! ¡Alto! ¡Pausa!

Acabo de darme cuenta de que estaba a punto de revelar el nombre de la calle del mago. Eso habría sido un grave error. Ya es bastante malo que Cas y Max-Ernest emprendan este funesto viaje, pero jamás me lo perdonaría si tú corrieras los mismos peligros a los que se vieron expuestos ellos.

Deja que vuelva a empezar. Esta vez, prometo prestar atención.

La casa de un mago es imposible de encontrar. Al menos, eso es lo que estaba empezando a pensar Cas.

—¿Estás seguro de que la calle es esta? —preguntó.

—¿Cómo iba a estarlo? Es la primera vez que vengo —señaló Max-Ernest.

—Pues, ¿crees que la calle es esta?

(Fíjate: se me ha ocurrido una forma muy original de ocultar el nombre de la calle. Voy a dejarlo en blanco.)

—Bueno, en el cartel ponía calle ______ —respondió Max-Ernest—. Y la dirección que nos ha dado la agente inmobiliaria es en la calle _______. Pero a lo mejor se ha olido que nos estábamos haciendo pasar por adultos y nos ha dado mal la dirección a propósito. O a lo mejor han colocado mal el cartel de la calle. O a lo mejor hay dos calles _______. O a lo mejor el mago cambió de domicilio. Antes de morir, quiero decir. Y, por alguna, razón, ellos aún tienen su antigua dirección. Y estaban intentando vender la casa que no es. Pero, entonces, supongo que esta continuaría siendo la calle de esa casa...

—¡Olvídalo! Vamos a seguir un poco más.

—¿Cuánto es un po...?

—¡Arg! ¿Por qué me molesto siquiera en hablarte?

Cas se estaba impacientando mucho con la forma de pensar estrictamente lógica de Max-Ernest. Le recordaba a un programa de inteligencia artificial que había probado en la escuela; solo te daba la respuesta que querías si le hacías la pregunta correctamente. La diferencia era que el programa de inteligencia artificial se podía apagar. Apagar a Max-Ernest no era una opción.

Habían estado andando por una tortuosa calle de aquellas que van subiendo poco a poco sin que uno se dé cuenta y habían llegado a la cima de una colina muy arbolada. Llevaban unos cuarenta minutos sin pasar por delante de una casa y no había ninguna a la vista.

Hasta Sebastian parecía cansado. Como casi todos los bassets ancianos, tenía el lomo delicado y aquello era mucho camino para él. No paraba de ladrar de un modo que sonaba parecidísimo a las palabras «¿Cuánto falta?»

Justo cuando Cas estaba a punto de darse por vencida, Sebastian comenzó a tirar de la correa.

—Creo que huele algo. Puede que la casa esté después de esa curva —dijo—. Si no lo está, daremos media vuelta.

—¿Te refieres a esta curva o a...?

Cas le lanzó una mirada de advertencia y Max-Ernest dejó la pregunta a medias.

En cuanto doblaron la curva que había indicado Cas, se toparon con un gran cartel de **SE VENDE** colocado en un lado de la calle. Estaba pintado de un color amarillo muy chillón y decorado con globos, por lo que era imposible no verlo. Debajo de las palabras había una sonriente fotografía de Gloria Fortune enseñando los dientes. Una gran flecha señalaba un sendero que, de otra forma, no habría sido visible. Tan invadido estaba por la hierba.

Tras recorrer un trecho breve pero lleno de pinchos, llegaron a un claro que debía de haber servido al mago de patio delantero. Cas se quedó mirando la casa. Max-Ernest también. (Sebastian también lo habría hecho, pero era ciego.) No podían creer que estuvieran delante de la casa correcta. ¿Era aquel el aspecto que tenía una casa «excéntrica y poco convencional»? Parecía normalísima. Nada en ella sugería que allí pudiera haber vivido un mago. Era una casa blanca normal y corriente con las contraventanas negras. Lo único que la distinguía de cualquier otra era su tamaño diminuto: parecía que solo tuviera una habitación.

Intentaron mirar por las ventanas, pero las cortinas estaban echadas. Haciendo acopio de valor, Cas llamó a la puerta.

Nadie respondió.

—Vamos a tener que entrar por una ventana —dijo, esforzándose por dar la impresión de que hacía aquellas cosas continuamente.

—¿De veras? —preguntó Max-Ernest. No había considerado la posibilidad de un allanamiento.

—¿Cómo vamos a entrar si no? —preguntó Cas, sacando un destornillador de la mochila—. De todas formas, esto no es realmente un allanamiento, porque estamos ayudando al mago y esta es su casa.

—No estoy seguro de que eso tenga lógica...

—Venga. A ver si podemos abrir una de estas ventanas.

Intentando disimular para que Max-Ernest no viera lo nerviosa que estaba, Cas empezó a tirar de las ventanas, buscando la que estuviera más floja.

Max-Ernest vaciló delante de la puerta. De golpe, probó el picaporte. Se movió.

—¡Eh, está abierta! —dijo.

—¿Y por qué no lo has dicho? —preguntó Cas, aliviada pero también un poco frustrada por no haber podido poner en práctica su técnica para forzar ventanas.

En cuanto entraron, advirtieron que la casa no era tan normal como parecía. En vez de encontrarse en un salón, o incluso en un recibidor, estaban en un cuarto minúsculo con las paredes de madera que, por su tamaño y forma, parecía un armario ropero. No tenía ventanas, ni más puertas que aquella por la que habían entrado.

—¿Crees que hay alguna puerta secreta? —preguntó Cas, examinando las paredes de madera. No parecía que hubiera ninguna bisagra ni picaporte oculto.

—No da esa impresión —dijo Max-Ernest—. ¡Eh!

Sin previo aviso, una corriente de aire acababa de cerrar la puerta a sus espaldas. Y ahora, otra puerta deslizante se estaba cerrando delante de ella. Estaban atrapados.

—¿Y ahora qué? —dijo Max-Ernest.

—No sé. Nunca me había quedado encerrada de esta forma —admitió Cas a regañadientes.

Entonces vieron dos botones sobresaliendo de la pared en un rincón del cuarto.

—¡Mira, es un ascensor!

Cas pulsó un botón y luego el otro. No sucedió nada.

—¿Cómo crees que se pone en marcha? —preguntó.

Max-Ernest señaló un cartelito colgado encima de un altavoz. Decía: «¿Cuáles son las palabras mágicas?».

—¡Abracadabra! —dijo Cas.

No ocurrió nada.

—¡Pata de cabra! —dijo Max-Ernest.

No ocurrió nada.

—¡Ábrete sésamo! —dijo Cas.

No ocurrió nada.

—¡Magia potagia! —dijo Max-Ernest.

No ocurrió nada.

—Espera, ya lo tengo —dijo Cas—. Conozco las palabras mágicas. —Miró directamente al altavoz y, con mucho cuidado, pronunció las palabras «Por favor».

Como si la hubiera oído, el ascensor rechinó y empezó a bajar. Cas dio mentalmente las gracias a la señora Johnson por ser tan puntillosa.

—Odio los buenos modales —dijo Max-Ernest.

—A mí me parece gracioso —dijo Cas—. Ya sabes, la gente siempre dice: «¿Cuáles son las palabras mágicas?». Pero, esta vez, son mágicas de verdad.

—No son mágicas de verdad. Es un sistema electrónico. Se activa por la voz.

—¡Ya lo sé! Solo era un chiste.

—Ah, ya. ¡Ja! —dijo Max-Ernest, sin entenderlo realmente.

Cuando salieron del ascensor se encontraron en una casa normal y corriente. Tenía un salón y un comedor. Tenía un dormitorio y un baño. Tenía una galería y una cocina. Tenía todas las cosas que tienen la mayoría de casas. Con una diferencia pequeña pero crucial: la casa del mago estaba enteramente bajo tierra.

También estaba vacía.

—Gloria ha debido de deshacerse de todo. Es la agente inmobiliaria —susurró Cas.

—¿Por qué susurras? —susurró Max-Ernest.

—No lo sé... ¿Hola? ¿Hay alguien? —preguntó Cas, en un tono aún no muy alto. Ninguna respuesta. Repitió la pregunta, obligándose a gritar. Pero solo obtuvo por respuesta el eco más fuerte de su voz.

En la casa no quedaba ni un solo libro, mueble u objeto personal. No obstante, mientras caminaban por ella, Cas pudo percibir la personalidad del mago fallecido. Los tablones del suelo estaban desgastados en los sitios por los que él más se había paseado. Los armarios mostraban las huellas de sus manos. Y las paredes de madera parecían tener un brillo especial donde él las había rozado con los hombros.

—Creo que era un hombre agradable —dijo Cas.

—¿Cómo lo sabes? —preguntó Max-Ernest.

—Lo sé.

—Eso no tiene ninguna lógica.

El único sitio donde no había ninguna señal del mago era la cocina, donde todo era completamente nuevo o estaba recién pintado. Nadie imaginaría que aquella cocina se había utilizado alguna vez, y mucho menos que se había incendiado. Sebastian, no obstante, parecía encontrarle un interés especial. Alzaba continuamente la cabeza para olisquear, como si la habitación estuviera impregnada de olores del pasado.

Cas intentó oler en la misma dirección.

—Creo que lo huelo. ¿Y tú?

—¿El qué? ¿La pintura? —preguntó Max-Ernest.

—¡El olor a azufre!

—Ah, sí. Tal vez. Bueno, en verdad no. Pero tengo la nariz bastante tapada. Tengo el tabique desviado.

—¿Hay algo que no tengas? —preguntó Cas con sarcasmo—. Venga. Aquí no hay nada. A lo mejor hay alguna pista en algún otro sitio de la casa.

—¿Qué clase de pista estamos buscando?

—Lo sabré cuando la vea.

Cuando volvieron al salón, el perro se soltó dando un tirón a la correa y se acercó a una rinconera en actitud amenazante.

—¿A qué está gruñendo? —preguntó Max-Ernest preocupado.

—Seguramente solo es un bicho.

—¿Crees que es una de esas librerías mágicas y que tiene una habitación secreta detrás?

—Eso solo pasa en las películas —sentenció Cas.

Miraron debajo de la librería, pero no vieron nada.

Cuando se levantaron, Cas miró a Max-Ernest con curiosidad.

Estaba dando brincos y cerrando los puños.

—Creo... que tengo que ir al baño —tartamudeó.

—Pues ve.

—¿Te parece bien?

—Sí, ¿por qué no? ¿Sabes?, si hubiera una guerra nuclear y estuviéramos todos viviendo en un búnker subterráneo, pronto dejaría de darte tanta vergüenza. Siempre hay que ir en algún momento.

Cas esperó mientras Max-Ernest se encerraba en el baño. Intentó no escuchar, pero, en la casa del mago, todos los sonidos se amplificaban. Además, los niños siempre hacían mucho ruido al orinar.

Por fin, oyó la cadena del váter.

Luego oyó dos gritos. Uno parecía de Max-Ernest. El otro no parecía de nadie, de nadie humano.

SIETE

UNA PAREJA IMPRESIONANTE

Durante aproximadamente un segundo un medio, Cas se quedó paralizada. Luego echó a correr.

Cuando llegó al baño, la puerta se estaba abriendo y un gato viejo y flaco salió como una flecha. (Era el gato, advirtió aliviada, quien había dado el otro grito.)

Max-Ernest estaba junto al váter, jadeando y señalando. A su lado, la pared se había abierto, revelando una gran habitación oculta.

—Ha... pasado cuando he tirado de la cadena —dijo—. Había una especie de puerta oculta.

Decidida a no dejarse asustar por otro gato ni por ningún otro animal doméstico, Cas entró audazmente en la habitación. Max-Ernest la siguió con cautela.

La habitación secreta estaba presidida por un gran escritorio de madera y atestada de las cosas del mago.

—¡Su estudio! —exclamó Cas, que se sentía comodísima

porque aquello le recordaba a la tienda de antigüedades de sus abuelos—. Imagino que Gloria no sabe que existe. Por eso hay tantas cosas aún. Aquí tiene que haber algo para nosotros.

Max-Ernest, que todavía no se había recobrado del susto, señaló el cuenco de pienso vacío y el cajón de tierra no tan vacío.

—¿Crees que ese gato ha estado aquí desde que el mago murió?

Cas asintió con la cabeza.

—Venga, tú empieza por ese extremo. Yo empezaré por este otro.

—Así que, admítelo, yo tenía razón. Había una habitación secreta. ¿Qué te parece?

Cas no respondió. Había empezado a rebuscar en las cajas.

—Aquí huele que apesta —se quejó Max-Ernest. Pero, de todas formas, se puso también a investigar.

Lo que encontraron los dejó tan asombrados como decepcionados. No había ninguno de los objetos que suelen asociarse con el estudio de un mago: ninguna varita mágica, ninguna caja para serrar mujeres por la mitad, ningún sombrero de copa para esconder conejos, ningún material para hacer trucos de ninguna clase.

En cambio, había el tipo de cosas que se ven con más frecuencia en el estudio de un profesor chiflado: había una balanza de latón rota y una lupa enorme llena de polvo; había un microscopio con un portaobjetos vacío; un telescopio, dirigido a un punto del techo, e incluso un estetoscopio dejado en el respaldo de la silla; había un hurón disecado, una colección de piedras y cristales, todos los cuales poseían alguna cualidad incandescente, luminiscente u opalescente, y centenares de mariposas prendidas con alfileres a un cartón con las alas congeladas en vuelo; y había libros y papeles por doquier.

Pero no había nada mágico. Ni sulfuroso. Ni letal.

Sebastian, entretanto, estaba olisqueando el último cajón del escritorio del mago. Siguiendo su ejemplo, Cas lo abrió y sacó un gran cuaderno encuadernado en piel.

—¿Qué es? —preguntó Max-Ernest.

Cas se llevó un dedo a los labios. Sebastian se había acercado a la pared y se estaba moviendo nerviosamente: una clara señal de peligro.

El eco del ascensor moviéndose reverberó en toda la casa.

Max-Ernest abrió la boca para decir algo, pero Cas se la tapó inmediatamente con la mano. Aquello pareció enfurecerlo, pero, pese a intentarlo con todas sus fuerzas, no pudo quitarse la mano de la boca. Cas era demasiado fuerte.

Entonces oyeron abrirse la puerta del ascensor y una voz saliendo de él —inconfundiblemente la de Gloria—. Hablaba en un tono tan alto y agudo que oyeron todo lo que decía.

—¿Recién casados, dicen? ¡Qué bonito! ¡Son ustedes una pareja impresionante! ¿Saben?, puedo enseñarles unas cuantas casas construidas por encima del suelo que quizá sean más de su agrado… Oh, ¿siempre han querido tener una casa bajo tierra? ¡Maravilloso!

Con la mano libre, Cas señaló una rejilla que daba al rincón de la librería al que Sebastian había gruñido antes. (Debía de haber sido el gato lo que lo había inducido a gruñir.) Ella y Max-Ernest miraron por la rejilla cuando Gloria salió del ascensor y se dirigió hacia ellos.

Por suerte, Sebastian se quedó callado. Era como si supiera que no querían ser descubiertos.

—¿Saben?, con esta casa tenía la corazonada —continuó Gloria— de que la pareja apropiada se enamoraría de ella. Es tan romántica, ¿verdad, doctor…?

—Doctor L —dijo una voz grave con uno de esos acentos escurridizos imposibles de identificar por mucho empeño que se ponga.

—Oh, ¿L qué? —preguntó Gloria.

—L a secas —respondió él con el aire engreído de alguien que acaba de ganar una discusión.

—Entiendo —dijo Gloria, quien claramente no entendía nada en absoluto—. Y eso la convierte a usted en la señora…

—Señora Mauvais —respondió una mujer, evidentemente la señora Mauvais, con la voz tintineándole de un modo que debería haber sido alegre y musical pero que, en cambio, fue gélido y desagradable.

—Oh, ¿entonces no utiliza el apellido de su marido o, mejor dicho, su inicial?

—Eso parece —dijo la señora Mauvais cuando ella y el doctor L salieron por fin del ascensor, cerniéndose sobre la menuda agente inmobiliaria.

Cas pegó la cara a la rejilla para ver mejor a aquellos recién casados en busca de casa.

Gloria no estaba exagerando cuando había dicho que eran una «pareja impresionante».

El doctor L era alto, estaba bronceado y tenía la dentadura más blanca que Cas había visto en su vida. Llevaba un traje gris con una corbata plateada y tenía el cabello cano echado hacia atrás como si hubiera estado expuesto al viento; y, no obstante, no se le movía ni un solo pelo. Pese al color del cabello, no tenía ninguna arruga en la cara. Era tan guapo que parecía distante incluso cuando estaba cerca.

La señora Mauvais era más deslumbrante si cabe, y no solo por la gran cantidad de joyas de oro que llevaba puestas. Era casi tan alta como el doctor L y tenía cinturita de avispa, como una muñeca Barbie de carne y hueso. Como ella, tenía los cabellos rubios echados hacia atrás formando un casco perfecto, sin uno solo fuera de sitio. Sus ojos azules de Barbie eran grandes, redondos y centelleantes, y no parecían parpadear nunca. También su piel era tersa y perfecta como la de una muñeca. No se le movía ni un solo músculo de la cara, ni siquiera cuando hablaba.

Era como si ella y el doctor L se hubieran sacado fotografías justo en los momentos en que estaban más favorecidos y luego hubieran hecho un conjuro para parecerse eternamente a ellas.

Tenían una cosa más que llamaba la atención: los dos llevaban guantes. Aunque hacía bastante calor.

Daban miedo. Al menos a Cas.

Max-Ernest, en cambio, estaba hipnotizado.

—Es la mujer más guapa que he visto en mi vida —susurró cuando Cas dejó por fin de taparle la boca.

—¿Estás loco? —le susurró Cas—. Parece un zombi. Los dos lo parecen.

La señora Mauvais estaba mirando hacia ellos, con algo parecido a una expresión interrogante. Por un momento, creyeron que los había oído, pero quizá fuera así cómo miraba siempre. Luego, se volvió otra vez hacia Gloria.

—Veo que se han llevado todas las pertenencias del anterior ocupante —dijo—. ¿Ha dicho que era un mago?

—Sí, bueno, no. No creo haberlo mencionado. ¡O sí que debo de haberlo hecho! —Gloria se rió—. ¿Cómo si no iban a saberlo ustedes?

—Cómo si no, en efecto —dijo la señora Mauvais, mientras miraba disimuladamente al doctor L—. Debía de tener muchas cosas interesantes. ¿Se podía saber mucho del mago a partir de sus pertenencias?

—Oh, no —dijo Gloria—. No eran más que un montón de trastos... ¿No les gustaría ver las otras habitaciones?

—¿Y dónde están ahora esos «trastos»? —insistió la señora Mauvais, con la misma indiferencia con que hablaría del tiempo.

Al oír aquella última pregunta, Cas se descubrió negando con la cabeza, ordenando mentalmente a Gloria que no respondiera. Por alguna razón —quizá fuera el modo como Sebastian estaba reaccionando a la presencia de la pareja, ¿o era simplemente el sonido de sus voces?—, no creía que el doctor L y la señora Mauvais estuvieran realmente buscando casa. Ni siquiera estaba segura de que acabaran de casarse. De lo que sí estaba segura era de que no quería verlos cerca de la tienda de antigüedades de sus abuelos por nada del mundo.

—Oh, no me acuerdo. Creo que lo tiré todo a la basura —dijo Gloria, tal vez pensando lo mismo.

Cas suspiró aliviada.

El doctor L dio un paso hacia Gloria.

—Y ese mago suyo, ¿no dejó ningún documento o carpeta que pudiera decirnos algo de él?

Gloria negó nerviosamente con la cabeza y retrocedió un paso.

—No, nada.

El doctor L la atravesó con la mirada, como un fiscal interrogando a un testigo.

—¿Un cuaderno de piel, quizá? Piense.

Al oír aquello, Max-Ernest tosió y echó la cabeza hacia atrás, tirando una pila de cajas.

Es difícil describir qué ocurrió en el tumulto que se produjo a continuación. Más tarde, lo único que Cas recordaría sería lo siguiente: cuando ella, Max-Ernest y Sebastian salieron del cuarto de baño, ella miró directamente al doctor L y a la señora Mauvais y dijo: «Creo que el cuaderno que buscan está ahí dentro».

Cuando los dos adultos se metieron atónitos en el baño, Cas les cerró la puerta y se dirigió al ascensor. Gloria los miró sorprendida.

—¿Qué estáis haciendo aquí, niños? —preguntó con aspereza—. Habéis entrado en esta casa ilegalmente. Esto es una propiedad privada... Eh, yo a ti te conozco —añadió, mirando a Cas—. Eres esa niña tan pesada que estaba en casa de Larry y Wayne.

—¡Corred! —gritó Cas, empujando a Sebastian hacia el ascensor abierto.

—¡Volved aquí ahora mismo! —gritó Gloria—. ¿Y qué es eso que llevas en la mano?

—Hum... ¡arriba! —dijo Cas en cuanto estuvieron en el ascensor.

No ocurrió nada.

—¡Por favor, quiero decir! —El ascensor comenzó a moverse.

—¡Alto! ¡Ladrona! —gritó Gloria, corriendo hacia el ascensor como un pato.

Pero llegó demasiado tarde.

En lo que respecta al doctor L y la señora Mauvais, consiguieron salir del estudio del mago justo a tiempo para ver cómo las puertas del ascensor se cerraban con Cas y Max-Ernest dentro.

Y de ver a Cas con el cuaderno del mago firmemente asido en una mano.

OCHO

El título de este capítulo es tan ALARMANTE que he decidido no incluirlo.

También he decidido no repetir las terribles amenazas que profirieron el doctor L y la señora Mauvais al ver a Cas con el cuaderno del mago porque solo te producirían pesadillas. Tampoco describiré cómo estuvo registrando aquella pareja espeluznante los alrededores durante más de una hora mientras Cas y Max-Ernest se escondían aterrorizados entre los arbustos, aunque sí te contaré que hubo un momento especialmente angustioso en que el doctor L y la señora Mauvais estaban a solo unos centímetros de Cas y Max-Ernest.

Sebastian casi los descubrió al gruñir al gato del mago, que causalmente estaba escondido cerca. Pero, entonces, el gato salió disparado. Lo cual hizo que la señora Mauvais diera un respingo del susto. Lo cual hizo que el doctor L se riera de ella. (Su risa tenía un acento tan extraño como su voz.) Lo cual hizo que la señora Mauvais se pusiera a insultarlo. Lo cual hizo que los dos se alejaran de los arbustos.

Al final, basta con decir que nuestros héroes actuaron con mucha audacia, o al menos con mucha paciencia, y aguantaron en su escondrijo más de lo que sus perseguidores aguantaron buscándolos. También me alegra decir que ni Cas ni Max-Ernest se plantearon en ningún momento renunciar al cuaderno, aunque ninguno de los dos habría sabido decir exactamente por qué si se lo hubieran preguntado.

Cuando llegaron a casa de Max-Ernest, sus padres, como era natural, se preocuparon muchísimo al ver la ropa rota y manchada de su hijo, y no digamos ya los arañazos que tenía por todos los brazos y piernas. No obstante, estaban tan poco habituados a la situación que no supieron cómo reaccionar.

—¿Es así como siempre acaban los niños cuando salen al aire libre? —preguntó su madre.

—Esto sí que es divertirse, ¿eh, niños? —preguntó su padre.

—Sí, mamá. Así es, papá —dijo Max-Ernest, asegurándose de responder a cada padre por separado.

Cas dejó a Sebastian con sus dos cuencos de agua y siguió a Max-Ernest arriba. En cuanto él cerró la puerta de su dormitorio —su habitación estaba situada de tal modo que quedaba equitativamente repartida entre la mitad de la casa correspondiente a cada padre—, Cas se sentó en el suelo y sacó el cuaderno de su mochila.

—¿Qué crees que puede haber aquí que ellos quieren con tanto ahínco?

—¿Papel? Es lo que normalmente hay en un cuaderno —señaló Max-Ernest.

Cas puso los ojos en blanco.

—No me digas... Hum, creo que probablemente es algo que escribió el mago.

Abrió el cuaderno en el suelo y lo hojeó para ver qué contenía.

—¿Eso es todo? —preguntó Max-Ernest.

Cas se encogió de hombros. Tenía que admitir que era bastante decepcionante. Todas las páginas estaban en blanco, salvo la primera.

Cas leyó las líneas garabateadas en ella.

Aunque este CASO es un CAOS
y ni la ZORRA come ARROZ
ni en ROMA el zorro MORA
ni a una RATA ATAR se debe,
tras el REPASO REPOSA
y para leer mi historia
BAJA DO RE MI.

Cas arrugó la cara.

—¿Qué es «baja do re mi»?

—Hum, creo... no sé —admitió Max-Ernest—. Supongo que tendrá algo que ver con la Sinfonía de Olores y los instrumentos.

—El cuaderno está en blanco, eso es evidente. Así que la historia tiene que estar en alguna otra parte.

—¿Cómo lo sabes? A lo mejor está escondida. O quizá esté escrita con tinta invisible. O puede que este poema sea otro código secreto y que si lo desciframos nos diga dónde está la historia.

Cas pensó un momento en aquello.

—Bueno, no me parece un poema muy bueno, si es que lo es. Pero quizá tengas razón con lo del código secreto. ¿Crees que guarda alguna relación con los animales?

—Demasiado fácil —dijo Max-Ernest con seguridad—. El propósito de un código secreto es que sea difícil de descifrar.

—¡Sé lo que es un código secreto! —Cas le pasó el cuaderno, enfadada.

—Míralo tú, anda. Además, ¿qué es lo que te convierte en experto en códigos secretos? ¿Cuántos has descifrado?

—¿Te refieres a códigos secretos reales?

Cas asintió con la cabeza.

—¿Aparte del de la Sinfonía de Olores, quieres decir?

Cas volvió a asentir con la cabeza

—Hum, bueno, ninguno —admitió Max-Ernest—. Pero he leído mucho sobre el tema.

—Entonces, en verdad no sabes nada de códigos secretos —declaró Cas, que creía que había que experimentar las cosas para conocerlas.

Miró a Max-Ernest para saber si iba a contradecirla, pero él había dejado de prestarle atención. Tenía los ojos clavados en el cuaderno.

—¡Es tan obvio! —dijo—. No me puedo creer que no lo haya visto antes.

—¿El qué?

—Fíjate en cómo se parecen entre sí algunas palabras en mayúsculas. CASO y CAOS... ZORRA y ARROZ... RATA y ATAR...

—¿Sí...?

—¡Son anagramas!

—Vale —dijo Cas, asintiendo con la cabeza. Luego, preguntó—: ¿Qué es un anagrama?

—Es cuando dos palabras tienen las mismas letras pero en un orden distinto. Y cuando una palabra significa otra leída del revés es una especie de escritura invertida que se llama palíndr...

Cas lo interrumpió antes de que pudiera comenzar a darle otra conferencia.

—Está bien, lo entiendo. Son todos anagramas.

—También REPASO y REPOSA. Solo hay cuatro palabras en mayúsculas que no forman un anagrama...

—¡BAJA DO RE MI! —exclamó Cas, emocionándose. Tenemos que averiguar el anagrama de BAJA DO RE MI.

Max-Ernest encontró un trozo de papel y los dos se pusieron a probar distintas combinaciones de letras (Cas ya lo había hecho antes con sus abuelos cuando jugaban al Intelect):

BADAJO EMIR
MADEJA BRÍO
MEDIAR BAJO
ABAJO MEDIR
JÍBARO DAME

Etcétera. La mayoría de combinaciones eran un auténtico galimatías. Y ninguna funcionaba cuando intentaban ponerla en la frase del mago. Creyeron que podían haberlo resuelto con RIMA DEBAJO, por el hecho de que era un poema, pero terminaron por concluir que aquello tampoco tenía sentido. Durante todo el tiempo, Max-Ernest no dejó de murmurar.

—¿No puedes cerrar la boca ni por un segundo? —preguntó Cas.

—Pero creo que lo tengo —dijo Max-Ernest, intentando hablar con la boca cerrada.

—¿Qué?

—¡Es MIRA DEBAJO! —exclamó Max-Ernest, olvidándose, con la emoción, de tener la boca cerrada—. Y para leer mi historia, MIRA DEBAJO. ¿Qué te parece?

Cas asintió con la cabeza.

—¡Sí, tiene que ser eso! Debajo del suelo, supongo. ¿Crees que está enterrada en algún sitio?

No tuvieron tiempo para seguir hablando del asunto porque la madre de Cas había venido a buscarlos a ella y a Sebastian. Pese a tener que marcharse de casa de Max-Ernest justo después de descifrar el mensaje en clave del mago, Cas se alegró mucho de ver a su madre. Había sido un día largo y angustioso, y rara vez un abrazo la había reconfortado tanto. Pero también hubo tristeza en aquel abrazo. Más que ninguna otra cosa, Cas quería explicar a su madre todo lo que había sucedido en la casa del mago. Pero no podía.

Tenía dos buenas razones para no hacerlo:

1. Había mentido con respecto a lo que iba a hacer ese día y su madre se enfadaría y posiblemente la castigaría a quedarse en casa sin salir.
2. Su madre se preocuparía por su seguridad y no la dejaría seguir investigando, la castigara o no a quedarse en casa sin salir.

Como quizá hayas adivinado, la madre de Cas no fue tan fácil de convencer como los padres de Max-Ernest en lo que concernía al estado de la ropa de su hija. Pero Cas le contó una historia sobre perseguir al perro ciego por el parque que fue tan larga y enrevesada que ella dejó de intentar entenderla y solo dijo que se alegraba de que su hija estuviera bien y que el estado de su ropa no era importante.

Cas conocía a su madre lo bastante bien como para saber cuándo le rondaba algo por la cabeza. Efectivamente, cuando llegaron a casa, su madre no salió del coche. En vez de eso, se volvió, la miró y le dijo que tenía algo que contarle.

Al principio, Cas pensó que iba a contarle algo terrible, que se iba a casar o se estaba muriendo de una rara infección fúngica, por ejemplo. ¿Cómo podía no haberlo visto venir? ¡Ella, Casandra, la que lo predecía todo! ¿Y su madre se había enamorado y ella ni siquiera se había dado cuenta?

Resultó que la noticia no era tan terrible. Su madre se iba a Hawai por trabajo. La compañía de seguros para la que trabajaba la enviaba a un congreso sobre «valoración de riesgos» (lo cual parecía bastante interesante) en Honolulú; y ella iba a quedarse un par de días más para poder descansar (lo cual parecía aburrido) en la playa. Los abuelos Larry y Wayne habían accedido a quedarse con Cas mientras ella estuviera de viaje.

Cas no se habría sorprendido más si su madre hubiera anunciado que se iba a la luna. Ella rara vez viajaba, y nunca lo hacía sin su hija.

Los viajes le interesaban, de eso no había duda. Hasta podría decirse que eran una especie de afición. Era famosa por su colección de guías de viaje y sus amigos siempre le pedían ayuda para planear sus viajes. Desde las mejores playas de Costa Rica hasta las cabañas más acogedoras de Colorado, fuera cual fuera el destino, la madre de Cas siempre tenía un libro sobre el tema. Tenía guías de trekking en Nepal aunque no había hecho un solo trekking en su vida, y mapas para esquiar en helicóptero en Canadá, aunque le daba miedo volar y no le gustaba la nieve.

Para Cas, no había nada más torturante que oír hablar de todos aquellos lugares fabulosos que jamás llegaría a ver. Para su madre, los libros eran mejores que viajar. «¿Quién necesita ir a un sitio cuando puede leer sobre él? —le gustaba decir—. ¡Ni siquiera hay que hacer cola en el aeropuerto!»

Ahora, por fin, su madre había decidido hacer vacaciones o, al menos, sumar unas vacaciones a un viaje de trabajo. ¿Y Cas no estaba invitada?

—Sé que no parece justo —le dijo—, pero no es factible. La próxima vez vendrás, te lo prometo.

Una vez se hizo a la idea, Cas aseguró a su madre que su viaje de trabajo y placer a Hawai no era ningún problema.

—Estaré bien —dijo—. Además, me encanta irme a vivir con los abuelos. Porque me dejan hacer todo lo que quiero... ¡Es una broma!

—Gracias por ser tan madura y comprensiva —dijo su madre, abrazándola por tercera vez en otros tantos minutos.

Su madre quizá no le hubiera estado tan agradecida de haber sabido en qué estaba pensando mientras se abrazaban. La razón de que Cas estuviera siendo tan madura y comprensiva era que había llegado a la conclusión de que el viaje de su madre era muy oportuno.

En verdad, no había bromeado al decir que sus abuelos le dejaban hacer todo lo que quería. Con su madre de viaje, sería mucho más fácil regresar a la casa del mago y empezar a excavar. Y resolver el misterio de su muerte. Y salvar al resto del mundo de sufrir el mismo destino. Y demostrar a todo al mundo la gran heroína que era y que sus predicciones eran reales, y no meras tomaduras de pelo.

NUEVE
ATADA EN CORTO

Por desgracia, la madre de Cas parecía opinar que, en su ausencia, su hija debía tener menos libertad en lugar de más.

Una semana después de anunciar que se marchaba de viaje, y aunque llegaba tarde al aeropuerto, se pasó veinte minutos enumerando todas las cosas que Cas no podía hacer durante su ausencia, entre las que, por supuesto, se incluían bajar por la barra del parque de bomberos y montar en la parte de atrás de la camioneta de Wayne.

Puso a Cas una tarjeta de crédito en la mano.

—Esto es para las emergencias —dijo—. ¡Pero más te vale que no haya ninguna! —A continuación, se dirigió a los abuelos sustitutos de Cas (y ahora sus guardianes sustitutos)—. Recordad que no es tan adulta como parece. Sigue siendo nuestra niñita.

Lo cual fue casi la cosa más exasperante que podía haber dicho.

—No te preocupes. La tendremos atada en corto —dijo el abuelo Larry.

Lo cual enojó a Cas todavía más.

—Sí, Sebastian tiene unas cuantas correas de sobra —bromeó el abuelo Wayne.

Lo cual no tuvo ninguna gracia.

Por lo visto, tener a Cas atada corta significaba llevársela con ellos a todas partes. En cuanto su madre se marchó, Larry y Wayne empezaron a llenarle el tiempo libre con visitas a mercadillos, garajes particulares donde se vendían objetos usados y cementerios de coches. Decían que «solo estaban investigando la competencia», pero Cas se fijó en que nunca se marchaban con las manos vacías. Después de pasarse dos días con ellos, Cas no quería volver a ver nada viejo o roto durante el resto de su vida.

No obstante, aquellas salidas de trabajo eran un alivio comparadas con el tiempo que pasaba en la tienda. Siempre que estaba en el parque de bomberos, le preocupaba que Gloria pudiera aparecer y contar a sus abuelos que la había visto en la casa del mago. ¿Cómo la había llamado? ¿Ladrona? Oír aquella palabra bastaría para que sus abuelos llamaran a su madre. Y para que su madre cancelara el resto del viaje. Y para meter a Cas en el peor lío de su vida.

Incapaz de soportar el suspense durante más tiempo, preguntó a sus abuelos si sabían algo de Gloria.

—Oh, no te preocupes. Siempre vuelve —dijo el abuelo Wayne, malinterpretando por completo su preocupación—. ¡Y estoy seguro de que nos traerá un gran botín! ¡A lo mejor hasta nos trae una calculadora nueva! ¿A que molaría?

Cas no estaba segura de qué podía molar menos que una calculadora nueva, a menos que fuera el modo como el abuelo Wayne había dicho la palabra «molaría». De cualquier forma, su respuesta no la tranquilizó.

Pero Gloria no apareció por allí aquel día. Ni al siguiente. Ni al otro. Poco a poco, la preocupación de Cas por la *re*aparición de Gloria fue dando paso a una nueva preocupación: la inquietud por su *des*aparición. ¿Y si el doctor L y la señora Mauvais le habían hecho algo? ¿Era ese el motivo de que Gloria no se hubiera pasado por la tienda? Cuanto más pensaba en ello, más segura estaba de que a Gloria le había sucedido alguna desgracia. La casa del mago estaba tan apartada que su cadáver podía pasarse años descomponiéndose sin que nadie lo encontrara.

Cuando llegó el próximo sábado, los abuelos de Cas anunciaron que había llegado el momento del año de hacer inventario. Tenían que contar todas y cada una de las cosas que había en la tienda. Cas solo alcanzaba a imaginarse cómo podía ser aquello. La tienda estaba tan desorganizada que costaría un año entero catalogar su contenido, ¡y entonces habría llegado el momento de hacer otra vez inventario! No podía pedir una ocasión mejor para regresar a la casa del mago y reanudar su investigación.

Como si solo estuviera intentando ser de alguna ayuda, se ofreció a llevarse a Sebastian de paseo mientras sus abuelos trabajaban. Ellos aceptaron con la condición de que no tardara demasiado en regresar. Cas sabía que perderían la noción del tiempo en cuanto se pusieran a hacer inventario, por lo que accedió de buena gana. Incluso prometió limpiar la caca del perro. (Al ser ciego, Sebastian tenía tendencia a hacer sus necesidades en sitios poco oportunos.)

Había una cosa que tenía que hacer antes de marcharse: por si sus abuelos eran más eficientes haciendo inventario de lo que ella imaginaba, sacó disimuladamente de su mochila la Sinfonía de Olores y volvió a dejarla en el estante donde el abuelo Larry la había guardado. Probablemente, no mirarían, pero era mejor ser precavida. Además, su mochila ya era lo bastante pesada sin la caja. Se quedó con el cuaderno del mago, por supuesto. Eso sí que no iba a dejárselo.

Luego dijo adiós a sus abuelos y salió con Sebastian.

La mañana era soleada y ventosa, el tiempo que más le gustaba a Cas, y ella estaba animada y de buen humor por el día que le esperaba. (También le gustaba cuando llovía y hacía sol al mismo tiempo, que es cuando hay más probabilidades de ver el arco iris. No obstante, con barro habría sido más difícil excavar, por lo que era bueno que no lloviera.) Cas repasó mentalmente su lista de material —hizo su propio inventario, por así decirlo— hasta estar segura de que llevaba todo lo necesario, desde una pala plegable hasta bolsas de plástico para recoger la caca del perro. Estaba segura de que ella y Max-Ernest enseguida encontrarían lo que fuera que el mago hubiera enterrado en el suelo. ¡Solo esperaba no encontrarlo a él —o a Gloria— sepultado al lado!

Cuando llegó a casa de Max-Ernest, Cas se topó con un inconveniente.

Su amigo estaba en el sendero del jardín, a punto de arrojar una moneda al aire. A su derecha, tenía a su madre, sentada en su coche. A su izquierda, a su padre, sentado en el suyo.

—Muy bien, si sale cara me voy con mamá. Si sale cruz, con papá —estaba diciendo cuando Cas se acercó a él. (Aquel era el modo en que Max-Ernest tomaba muchas decisiones concernientes a sus padres. Para no tener que elegir.)

La moneda cayó al suelo antes de que él pudiera cogerla.

—¡Jolines! Me has distraído —dijo a Cas.

—Pues mejor, porque no vas a irte con ninguno de los dos. Vas a venirte conmigo —dijo ella—. Volvemos a la casa del mago —añadió en un susurro.

—No podemos. Va a verme un médico nuevo —le susurró Max-Ernest.

—Diles que es importante.

—Pero él cree que sabe qué enfermedad he contraído. ¡Tengo que ir!

—Muy bien. Entonces, tendré que ir a la casa del mago sin ti —dijo Cas, muy contrariada por aquel imprevisto.

—¿Irías sin mí? —preguntó alarmado Max-Ernest.

—No te preocupes. Sé arreglármelas sola —respondió Cas, lo cual era una frase que había oído una vez en una película.

—No me refería a eso —dijo Max-Ernest—. Creía que éramos compañeros. Dijiste que estábamos colaborando.

Cas se crispó de inmediato ante aquella sugerencia.

—¡Yo no he dicho nunca eso! Eso solo era lo que teníamos que contar a nuestros padres. Ni siquiera es cierto que estemos construyendo un volcán. Soy una superviviente, ¿recuerdas? No cuento con nadie salvo conmigo misma.

—Oh. Bueno, yo tampoco he contado nunca con nadie.

Algo en el modo como Max-Ernest había dicho aquello —quizá fuera el hecho de que se le estuvieran llenando los ojos de lágrimas— indujo a Cas a pensárselo mejor. Aunque le gustaba considerarse una intrépida aventurera, también quería ser justa. Técnicamente, era cierto, ella jamás había accedido a colaborar con Max-Ernest en la investigación. Pero había actuado como si fueran colaboradores y eso venía a ser lo mismo. O casi.

Max-Ernest quizá tuviera razón: ella no debería ir sin él.

Tras unos segundos de intensa negociación, acordaron regresar a la casa del mago el lunes después de clase. Aunque eso significara saltarse una clase de oboe (Cas) y una reunión preparatoria para un concurso de matemáticas (Max-Ernest). Decepcionada pero resignada, Cas dio media vuelta y regresó al parque de bomberos.

Cuando llegó, soltó a Sebastian y abrió la gran puerta roja. Normalmente, en aquel punto, el perro entraba y corría a la cocina en busca de comida. Esta vez, vaciló en la puerta, negándose a entrar cuando Cas intentó empujarlo.

—¿Qué pasa? ¿No quieres tu desayuno? Ya sabes, comida... comer...

Cas esperó hasta que Sebastian entró por fin en la tienda, pero el perro no paraba de gruñir y mover la cabeza de un lado a otro, como si intentara captar un olor difícil de localizar.

Cas miró dentro. Todo estaba igual que cuando se había ido. No parecía que sus abuelos hubieran hecho ningún progreso con el inventario.

—¿Abuelo Larry? ¿Abuelo Wayne?

Nadie respondió.

Cas no recordaba que el parque de bomberos hubiera estado alguna vez tan silencioso.

Volvió a llamarlos.

Algo pasaba.

Su instinto le decía que debía dar media vuelta y marcharse lo antes posible.* Pero ¿y si sus abuelos estaban atados, amordazados y encerrados en un armario y ella podría salvarlos pero no lo hacía? ¿O si estaban en la cocina, tendidos en un charco de sangre a punto de dar su último suspiro y ella podría haber estado allí para oír sus últimas voluntades pero no estaba? ¿O si…?

En vez de entrar sigilosamente, hizo mucho ruido. Habló a Sebastian en voz muy alta. Imaginaba que, si los malos la oían, quizá salieran sin hacer ruido para evitar que los viera. Eso era mejor que sorprenderlos y obligarlos a dejarla inconsciente en un momento de pánico.

Durante unos diez tensos minutos, Cas registró el parque de bomberos. Jamás había reparado en cuántos escondrijos había en la tienda de sus abuelos, cuántos armarios en los que meterse y cuántas mesas bajo las que esconderse. Aun así, parecía que su estrategia había dado resultado. Los malos se habían ido al oírla. O ya se habían marchado antes. O nunca habían estado allí. Sus abuelos no estaban atados en un armario. No había un charco de sangre en el suelo de la cocina. Todo parecía normal.

Salvo por el hecho de que sus abuelos no estaban.

Entonces oyó un fuerte estallido. Parecía un disparo.

* Que es exactamente lo que debería haber hecho. Y lo que tú y yo deberíamos hacer si alguna vez nos encontramos en su situación.

DIEZ
UNA ACUSACIÓN HORRIBLE

Cas contuvo la respiración, incapaz de moverse. ¿Habían disparado a alguien?

—Cas, ¿qué pasa? ¡Estás blanca como el papel!

Entró el abuelo Larry, seguido del abuelo Wayne, con los brazos llenos de nuevas adquisiciones.

—Cre-creía que había pasado algo.

—¿No has visto la nota? —preguntó el abuelo Larry—. Hay un garaje particular en esta misma calle donde venden objetos usados. No hemos podido resistirnos.

—¿Qué le pasa a Sebastian? Tiene peor aspecto que tú.

—Está… no sé —admitió Cas—. Lleva todo el día comportándose de un modo extraño.

Solo entonces se fijó Cas en dónde estaba parado Sebastian: justo al lado del estante donde guardaban la Sinfonía de Olores. Cas parpadeó sorprendida: ¡la caja no estaba!

El abuelo Larry siguió su mirada.

—¿Qué ha pasado con la Sinfonía de Olores? ¿La has cogido?

—¡No! Bueno, sí. Pero la he devuelto.

—¿Y dónde está? Creía que habíamos dicho que solo la miraríamos juntos —dijo el abuelo Larry, lanzándole una mirada de ligerísimo reproche.

—Hum, debería estar ahí.

Cas decía la verdad, pero, por algún motivo, hasta ella tuvo la impresión de estar diciendo una mentira.

—¿No estará con tus cosas, por casualidad? ¿En tu mochila, por ejemplo? —preguntó el abuelo Wayne.

Cas negó con la cabeza, ruborizándose violentamente.

—Sabes, tus orejas dicen una cosa muy distinta —observó el abuelo Larry.

Cas no se lo podía creer. ¡Sus abuelos la estaba acusando de robar! Habitualmente, ellos eran los únicos que confiaban en ella. Y lo peor era que no podía abrir su mochila para demostrarles que no llevaba la Sinfonía de Olores: verían el cuaderno del mago.

No, lo peor de todo era que tenían razón: Cas sí había robado la Sinfonía de Olores. Pero lo había admitido. Y la había devuelto. Lo cual significaba que la había cogido prestada, no robado. Entonces, ¿por qué estaba tan avergonzada? ¡Qué injusto era todo aquello!

—Intenta pensar en dónde puedes haberla puesto —dijo el abuelo Larry—. Sé que creías que era un juego, pero es un objeto muy raro y valioso.

—Eso ya lo sabe —dijo el abuelo Wayne—. Estoy seguro de que la encontrará y la dejará otra vez donde estaba.

Nadie volvió a mencionarle la Sinfonía de Olores aquel día, pero Cas sabía que sus abuelos estaban pensando en eso. En cierto momento, los oyó hablar en voz baja, especulando sobre la posibilidad de que ella hubiera roto algunos de los frascos y se sintiera demasiado culpable para decir nada. ¡Ojalá!

En lo que a Cas concernía, solo podía haber una explicación para la desaparición de la Sinfonía de Olores: el doctor L y la señora Mauvais habían estado en la tienda. Su rastro debía de ser lo que había alterado a Sebastian.

Por un breve momento de locura, Cas se planteó explicar a sus abuelos todo lo que había sucedido en la casa del mago y decirles cuán segura estaba de que el doctor L y la señora Mauvis habían robado la Sinfonía de Olores. Pero sabía que daría la impresión de estar inventándoselo únicamente para exculparse. Una vez resolviera el misterio de lo que le había sucedido al mago, quizá podría confiarse a ellos y tal vez entonces ellos volverían a confiar en ella.*

Cas apenas lo admitía ante sí misma, pero estaba comenzando a desear que su madre no se hubiera ido de viaje.

Antes de marcharse, le había regalado su primer teléfono móvil, algo que Cas llevaba años queriendo tener. «Para que no estemos realmente separadas», le había dicho. Tal como había prometido, la llamaba todos los días a las nueve en punto para darle las buenas noches (aunque las dos sabían perfectamente que Cas nunca se metía en la cama antes de mediano-

* ¿Debería haberlo confesado todo? Voy a dejar que seas tú quien lo juzgue, con la dilatada experiencia que yo sé que tienes en urdir estratagemas y en meterte y salir de aprietos. Los adultos pueden ser útiles a veces —se me ocurren el dinero y los trayectos en coche—. Pero también tienen la costumbre de entrometerse cuando se quiere hacer algo que ellos no aprueban.

che). Pero Cas sentía tanta presión para actuar como si todo fuera bien que sus conversaciones solo conseguían que se sintiera aún más sola.

Era una sensación nueva, añorar a su madre. Y no le gustaba.

Esa noche, dijo a su madre que tenía demasiado sueño para hablar.

—Larry y Wayne te están haciendo sudar tinta, ¿eh? —preguntó su madre.

Cas forzó una risa que no sentía.

—Sí, me están dejando agotada.

Después de despedirse con bastante brusquedad y apagar el teléfono, entró en su cuarto el abuelo Larry. Cas imaginó que iba a preguntarle otra vez por la Sinfonía de Olores, pero él dijo:

—Deprisa, están calientes.

Dejó un plato de galletas de chocolate y un vaso de leche junto a su cama.

—Más te vale comértelas rapidísimo si quieres quemarte la lengua y pringarte los dedos de chocolate.

Cas se rió un poco mientras se comía una galleta. Estaba caliente y blanda, y el chocolate aún no se había solidificado, lo cual era, como bien sabía el abuelo Larry, justo como a ella le gustaban las galletas.

Cuando engulló el último trozo, alzó la mano llena de chocolate para enseñársela.

—Hum. No sé, tu otra mano sigue bastante limpia —dijo él con severidad.

Cas se sintió un poco tonta, pero cogió obedientemente otra galleta con la otra mano y se la comió incluso más deprisa que la primera.

—Bien. Ahora asegúrate de pringar todo el vaso de chocolate. ¡Quiero pruebas!

Mientras Cas se bebía todo el vaso de leche —aliviándose la lengua quemada—, el abuelo Larry apartó su mochila y se sentó en el borde de la cama. Entonces, empezó a contarle un cuento.

Un año antes, si alguien le hubiera hecho galletas e intentado contar un cuento, Cas podría haberse ofendido y haber tenido la sensación de que la trataban como a una cría. Ahora, ya tenía la edad justa para volver a disfrutar la placentera intimidad que se crea al contar un cuento antes de dormir. (Créeme, cuanto mayores nos hacemos, más nos atrae la idea de que nos cuenten un cuento antes de dormir; y menos ocasiones tenemos de oír uno.)

No voy a repetir aquí todo el cuento del abuelo Larry porque me desviaría demasiado del tema, pero voy a intentar hacerte un resumen: hacía referencia a una vez en que Larry se vio obligado a separarse de su pelotón durante la época que pasó en el ejército. Trataba de un junco que él había arrancado a orillas de un estanque. En un solo día, lo había utilizado como tubo para respirar bajo el agua, como caña de pescar, como instrumento de viento, como arma y como pajita. Cuando el junco se partió por la mitad, Larry estuvo seguro de que la suerte lo había abandonado. Sin su junco mágico, se dijo, moriría.

No obstante, resultó que el chasquido del junco al partirse había alertado a uno de sus camaradas de su presencia y, momentos después, volvía a estar con su pelotón.

—Así que, como ves, romper el junco no fue el fin del mundo, sino solo el fin del junco. Y el fin de este cuento. Y no digamos ya de estas galletas —dijo el abuelo Larry, comiéndose la última.

Antes de que Cas pudiera responder, el abuelo Wayne, que había estado escuchando desde el umbral de la puerta, entró en la habitación.

—No lo entiendo —dijo sorprendido—. Había muchos más usos para ese junco, incluso después de romperse. Podrías haber hecho férulas. Palillos. Palillos chinos. Una flauta. O al menos un flautín... Me sorprendes, Larry. ¿Qué le ha pasado a tu imaginación?

—¡Esa no es la cuestión, Wayne, y tú lo sabes! —dijo Larry en uno de los tonos más irritados que Cas había oído jamás—. Cas, escucha. Lo de la Sinfonía de Olores no importa. Sea lo que sea lo que le haya pasado, es solo... una cosa. Sé que sabes que nos gustan las cosas. Y la Sinfonía de Olores era una cosa bonita. Pero, bueno, si ha desaparecido, ha desaparecido.

—Exactamente. Siempre podemos hacer otra —dijo el abuelo Wayne, captando por fin el mensaje del cuento de Larry—. De hecho, he encontrado una vieja colección de tubos y no tenía claro qué hacer con ellos. Podríamos empezar a reunir olores para meterlos en los tubos...

—Lo que estoy intentando decir es que los seres humanos son más importantes que las cosas —dijo Larry, interrumpiendo a Wayne.

—Al menos Cas lo es —puntualizó Wayne.

—Cas, tu aparición en nuestras vidas ha sido el mayor regalo que podrían habernos hecho —continuó Larry, como si Wayne no hubiera hablado—. Por muchas cajas que Gloria dejara en nuestra puerta, nada de lo que hubiera dentro podría compararse contigo. Te queremos muchísimo.

Mientras le decía aquello, le pasó un brazo por el hombro y ella se acurrucó contra él con gratitud.

—Yo también os quiero.

Pero no dijo ni una palabra de qué le había sucedido a la Sinfonía de Olores. Ni de nada más.

Momentos después, cuando sus abuelos le hubieron dado las buenas noches, Cas cogió su mochila y volvió a dejarla junto a su almohada.

Solo por si acaso.

ONCE
EL CUADERNO DEL MAGO

La mayoría de la gente teme que llegue el lunes. Aunque Cas era poco convencional en muchos aspectos, incluyendo su actitud hacia casi todos los días de la semana, también ella tenía a menudo malos presentimientos los lunes por la mañana, cuando se enfrentaba a la perspectiva de la larga semana lectiva que le aguardaba.

Pero aquel lunes por la mañana, en el autobús escolar, apenas podía pensar en la escuela. Estaba demasiado emocionada.

Aquella tarde reanudarían su investigación.

Hundiéndose bien en su asiento, fuera de la vista de los otros alumnos, sacó el cuaderno del mago de su mochila y lo examinó. Era más grande que el típico cuaderno escolar, y más delgado. No tenía anillas y se parecía más a una carpeta que a lo que normalmente se entiende por un cuaderno. Cas se fijó en que la lustrosa tapa de piel marrón estaba repujada y tenía un conocido dibujo modernista: las mismas flores y plantas trepadoras enroscadas que decoraban la Sinfonía de Olores. No obstante, estaba segura de que el cuaderno no era ni por asomo tan viejo. El mago debía de haber encargado que se lo hicieran a juego. Quizá, cuando su investigación hubiera concluido, podría preguntar a sus abuelos por aquello.

Al pasar las hojas del cuaderno, descubrió algo por casualidad: todas eran páginas dobles, dobladas sobre sí mismas. Después de unos cuantos intentos, las separó del lomo y las páginas se abrieron como un acordeón.

Las miró, asombrada.

Sin querer, había descifrado qué significaba «MIRA DEBAJO». La respuesta no estaba enterrada; la tenían justo en sus narices desde el principio. La historia del mago estaba escrita en el reverso de las páginas del cuaderno, *debajo* de ellas.

El resto del trayecto en autobús fue una tortura. Lo único en lo que pudo pensar fue en qué había escrito en el reverso de las páginas del cuaderno. Se moría de ganas de leerlas, pero sabía que no sería justo para Max-Ernest. Por muy irritante que fuera aquel niño, se recordó, eran colaboradores. Tenía que esperar.

Con la idea de pillar a Max-Ernest antes de que entrara en clase, Cas se puso a buscarlo en cuanto llegó a la escuela. Por desgracia, no pudo andar muy deprisa; había algo en mitad del pasillo, entorpeciendo la circulación.

Cuando estuvo más cerca, vio que ese algo era Benjamin Blake.

Ignorando a la multitud de alumnos que lo rodeaba, Benjamin estaba mirando los dibujos de la pared como si no terminara de creerse que fueran reales. Lo curioso era que los dibujos eran suyos. Al igual que lo era la placa colgada junto a ellos, declarándolo ganador del Concurso de Jóvenes Leonardos. Al igual que lo eran las cartas de enhorabuena del alcalde y el gobernador. Al igual que lo era..., bueno, ya te haces una idea.

Cuando Cas intentó pasar por su lado, Benjamin mascullló de forma ininteligible; parecía que hubiera dicho «Huelo a helado... con chocolate».

—Yo no tengo helado. ¿Te parece que sí? —repuso Cas, que no soportaba que la gente mascullara incluso cuando no tenía prisa—. Por cierto, por si no te has dado cuenta, estás entorpeciendo el paso. Además, probablemente, no deberías quedarte parado de esa forma delante de tus dibujos. Parece que te lo creas demasiado.

Benjamin se ruborizó y se alejó rápidamente en la dirección de la que venía Cas. Ella siguió su camino, sabiendo que había sido un poco insensible —Benjamin no tenía la culpa de ser como era—, pero no tenía tiempo para preocuparse de sus sentimientos. Debía encontrar a Max-Ernest.

No había avanzado mucho cuando la señora Johnson le impidió seguir andando. Estaba hablando con otros adultos, enseñándoles la escuela. Cas iba a abrirse paso a empujones cuando se quedó clavada al suelo, con el corazón a mil por hora.

Eran ellos. Estaba completamente segura. Reconocía su pelo. Y sus manos enguantadas.

En su escuela.

Cas retrocedió unos pasos, tapándose la cara con la mochila por si el doctor L y la señora Mauvais se volvían.

—Bueno, creo que ya no tenemos más preguntas —estaba diciendo la señora Mauvais con su horrible voz tintineante—.

Nos alegramos de que tengan alumnos y profesores con tanto talento.

—Muchas gracias por concedernos su tiempo —añadió el doctor L, con su acento reconociblemente irreconocible—. Es usted muy generosa.

—No hay de qué —dijo la señora Johnson, sonriéndoles de oreja a oreja—. Es maravilloso ver a unos padres tan implicados e interesados. Estoy segura de que su hijo estará muy contento en nuestra escuela.

«¿Su hijo? —pensó Cas—. ¿Qué hijo?»

El doctor L se volvió y Cas tuvo que esconderse. Cuando salió de nuevo al pasillo, ya no estaban. Y la señora Johnson venía hacia ella.

Cas la esperó y se puso a andar junto a ella. La señora Johnson caminaba muy deprisa. Era difícil seguirla.

—Esas personas, ¿han preguntado por mí?

—Casandra, cuando quieras hablar conmigo, deberías decir «disculpe, señora Johnson» y esperar a que yo te preste atención.

—Disculpe, señora Johnson. ¿Me está prestando atención?

—Sí. Y no, no han preguntado por ti. ¿Por qué habrían de hacerlo? Son los padres de un posible alumno. Estaban preguntando por nuestras clases de dibujo.

—Entonces estaban mintiendo —dijo ferozmente Cas—. Son horribles. Ni siquiera creo que tengan un hijo.

—¡Casandra! Qué comentario tan desagradable sobre alguien que ni siquiera conoces.

—¿Se ha fijado en que llevaban guantes pese a hacer calor?

—Algunas personas consideran que es de buena educación llevar guantes en sociedad. Personalmente, me parece una costumbre muy refinada. Es posible que empiece a llevarlos yo. —La señora Johnson la miró duramente bajo el ala de su gran sombrero turquesa—. ¿Haces todo esto porque me negué a ordenar esa evacuación que tú querías? Sabes, si mando cerrar la escuela cada vez que crees que pasa algo, ¡no daríamos nunca clase!

—Sí, lo siento, señora Johnson. Adiós.

Cas dejó a la señora Johnson negando con la cabeza y apretó el paso. Pero ya era demasiado tarde. Se habían ido.

Cas se pasó más de diez minutos —cinco de los cuales fueron de su primera clase— registrando la escuela de arriba abajo. Sin el menor éxito. No solo no pudo encontrar al doctor L y la señora Mauvais. Ni tan siquiera pudo encontrar a Max-Ernest.

Justo mientras intentaba pensar en una buena excusa para llegar tarde a clase, miró casualmente por la verja trasera de la escuela.

En la otra acera, el doctor L y la señora Mauvais se estaban subiendo a una limusina. El vehículo era de un color azul tan oscuro que casi parecía negro y estaba decorado con diminutas estrellas que parecían joyas. En la puerta, en tonos dorados, tenía la imagen de un sol naciente y las palabras:

«Sol de Medianoche».

La limusina brillaba tanto que parecía hechizada.

Cuando se alejó hasta perderse de vista, Cas vio brevemente el rostro de un niño, mirando por la luna trasera.

Ella también lo miró, imaginando, por un momento, que sus ojos se habían encontrado. ¿Por qué le resultaba tan familiar? ¿Estaba la señora Johnson en lo cierto? ¿Tenían un hijo? ¿Era posible que fueran padres? Cas descartó la idea nada más tenerla. Recordó las cosas horribles que les habían gritado a ella y a Max-Ernest. Ningún padre diría esas cosas a un niño. Ningún padre de verdad.

Por una afortunada coincidencia, Cas y Max-Ernest tenían los dos una hora de estudio después de su primera clase. En cuanto lo vio, Cas lo llevó a la mesa situada en el rincón más apartado de la biblioteca.

Hablando tan deprisa que las palabras se le encadenaban, le informó de que «¡elsábadorobaronlaSinfoníadeOloresdelparquedebomberosyséquetuvieronqueserlaseñoraMauvaisyeldoctorLporqueSebastiansepusocomoloco.Yestamañanahanvenidoanuestraescuela,¿telopuedescreer?¡LaseñoraJohnsonselaestabaenseñando!MehadichoqueeranunospadresyluegoloshevistomarcharseconunniñosentadoenlapartedeatrásdeunalimusinadondeponíaSoldeMedianoche!»

La mayoría de personas no habrían sido capaces de entenderla, pero Max-Ernest hablaba él mismo tan deprisa que no tuvo ningún problema.

—¿Tienen un hijo? No me lo creo —dijo.

—¡Exacto! Es lo que yo digo —dijo Cas, frenándose solo porque se había agotado—. Creo que eso de presentarse como padres solo ha sido una mentira, ¿sabes?, una tapadera, para poder buscarnos. Pero entonces, ¿quién era el niño que iba en la limusina?... ¡Oye! Casi se me olvida. He descubierto qué significa «MIRA DEBAJO», significa debajo de las páginas. Está todo escrito en el cuaderno, ¡solo que no se ve!

—¡Caray! ¿Lo has leído?

—No. Te he esperado.

Cas no dijo «He esperado porque somos colaboradores». Y Max-Ernest no dijo «Gracias, eso significa mucho para mí». Pero los dos sabían qué estaba pensando el otro.

—¿Sabes? —dijo Cas al cabo de un momento—, no siempre hablas tanto. De vez en cuando, te quedas callado. Como ahora.

—Tienes razón —dijo Max-Ernest, asombrado—. Y ni siquiera lo estaba intentando. ¿Qué te parece?

—Por cierto, ¿qué enfermedad dijo que tenías el médico nuevo?

—Dijo que no lo sabría con seguridad mientras mis padres vivieran juntos, porque la situación de mi familia era demasiado estresante.

—¿De veras? ¿Y van a dejar de vivir juntos tus padres?

—No, solo han tenido una pelea enorme sobre eso. ¡Pero al menos se han hablado!

Cas y Max-Ernest tuvieron que guardar silencio porque la bibliotecaria les lanzó una mirada de advertencia, pero cuando se fue —en la hora de estudio no vigilaba nadie—, no perdieron tiempo en abrir el cuaderno.

Ahora vieron que, lejos de estar en blanco, el cuaderno entero estaba repleto de la caligrafía del mago, solo que por el reverso de las hojas, no por el anverso. A juzgar por la inclinación de la letra, el mago lo había escrito con muchas prisas. Dijera lo que dijera, debía de ser muy importante.

Max-Ernest se acercó cuanto pudo a Cas y ella comenzó a leer en voz baja, poniéndose más seria con cada frase.

Querido lector,

Si estás a leer estas palabras, sé dos cosas de ti.

Estás bastante audaz para haber este cuaderno en tus manos, un cuaderno que es buscado por villanos de todo el mundo. Y estás bastante listo para descifrar un acertijo, el acertijo que es escrito al otro lado de estas páginas.

Ambas están cualidades que vas a necesitar en el futuro.

Mi vida es en peligro. Por esto es que escribo este cuaderno.

No, no temo la muerte —soy un hombre viejo y he sobrevivido a cosas peores—, mas no quiero propiamente morir sin antes deshacer un viejo agravio.

¿Conoces la expresión «bendita ignorancia»? Piensa bien en ella. Algunos secretos no son hechos para saberse, mas, una vez sabidos, no se pueden nunca olvidar.

Si ciertas personas descubren que sabes las cosas que estoy por contarte... Solo esto te diré: que lo más seguro por ti es dejar de leer ahora y guardar este cuaderno lejos del lugar que consideras tu casa. Si, en cambio, sigues a leer, te ruego por favor que no cuentes mi historia a ninguna persona.

Cas dejó el cuaderno en la mesa y miró a Max-Ernest. Él seguía inusitadamente callado.

—¿Y bien? —le instó Cas.

—¿Y bien qué? —preguntó él.

—¿Sigo leyendo?

—Tiene una forma rara de escribir —dijo Max-Ernest, como si estuviera respondiendo a su pregunta—. Creo que quizá era extranjero.

—¿Significa eso que no, que no quieres que siga leyendo?

—No, no significa que no.

—Entonces, ¿significa que sí?

—Sí. Supongo.

—Oh. Bien, yo también creo que debería seguir leyendo —dijo Cas—. Solo he pensado, ya sabes, que si te parecía demasiado peligroso…

—¡No estoy asustado! —dijo Max-Ernest—. Solo digo que quizá era extranjero.

—Yo tampoco estoy asustada.

—Entonces sigue leyendo.

—Vale.

Cas volvió a coger el cuaderno, tosió justo como hacía el abuelo Larry antes de empezar a contar una historia —por algún motivo, se notaba la garganta seca— y empezó a leer…

Aunque soy reacio a ello por motivos obvios, creo que también yo debo seguir refiriendo la historia del mago. Sabes, su historia está íntimamente entrelazada con mi relato. No es exagerado decir que mi relato no existiría sin ella.

Así pues, tú y yo vamos a leerla mirando por encima de los hombros de Max-Ernest y Cas. Antes de hacerlo, te sugiero que hagas un descanso. Si necesitas ir al baño, este es un buen momento. Si tienes sueño, acuéstate y deja para mañana el próximo capítulo. Para la historia del mago, debes estar en plenitud de facultades. Leerla distraído está terminantemente prohibido.

DOCE
LA HISTORIA DE LOS HERMANOS BERGAMO

Primera parte

¿Estás preparado? ¿Descansado? ¿Despabilado?

¿O solo has seguido leyendo porque no podías esperar?

En ese caso, me gustaría comentarte que leer bajo una manta a la luz de una linterna siempre es un buen modo de abordar las partes más difíciles y peligrosas de un libro. También te sugeriría que tuvieras algún tentempié a mano. O chicles. De otro modo, puedes descubrirte mordiéndote las uñas hasta hacerte sangre.

Muy bien. ¿Tienes a mano todo el material necesario para seguir leyendo?

Pues aquí está la historia del mago, relatada en sus propias palabras:

LA STORIA DELLA MIA VITA

«La historia de mi vida»

Pietro Bergamo

No te fíes de un mago nunca. Nosotros utilizamos las palabras únicamente por distraer. «Mira este pañuelo tan bonito» decimos, para que tú no ves nuestro juego de manos cuando el conejo desaparezca.

Mas ahora escribo como hombre, no como mago, y prometo que mi historia está cierta. ¡Ojalá no lo estuviera! Porque es la historia de la tragedia de mi infancia y de un terrible secreto que no ha traído nada que no esté tristeza y muerte.

Mi hermano, Luciano, y yo somos nacidos en una pequeña ciudad de la Italia, al período de entre guerras.

Estábamos mellizos, no gemelos idénticos. Una distinción que, a mi juicio, está totalmente inútil. Sí, si nos miraban con detenimiento, estaban muchas diferencias entre nosotros, como la marca de nacimiento que Luciano había a la nuca, tan parecida a una luna creciente. Mas Luciano y yo estábamos idénticos en nuestros corazones.

Cuando hemos cumplido nueve años, nuestras vidas, como dicen, se han puesto patas arriba. Un hombre terrible ha accedido al poder en la Italia y nuestra familia ha corrido peligro. * *Nuestros padres eran vigilados, más han conseguido encontrar un pasaje por mí y Lu-*

* Este hombre terrible fue el dictador italiano Benito Mussolini. Cuando era pequeño, Mussolini fue expulsado del colegio por apuñalar a otro alumno y por arrojar un tintero contra su profesor. Su personalidad no mejoró nunca, pero su suerte claramente lo hizo. Terminó gobernando Italia con «mano de hierro», obligando a todas las personas del país —incluyendo a todos los profesores— a jurarle lealtad y obedecerlo sin cuestionarlo.

Un dato poco conocido sobre Mussolini es que también fue novelista. A mí me parece totalmente lógico. El escritor de una novela es como el dictador de la novela; obliga a todos sus personajes a hacer y decir exactamente lo que él quiere que hagan y digan. Pero te ruego que no saques ninguna conclusión con respecto a la clase de personas que escriben novelas. Al fin y al cabo, no todos los novelistas son hombres dementes ávidos de poder, algunos son mujeres dementes ávidas de poder.

ciano en un barco que se dirigía en Estados Unidos. Han prometido reunirse con nosotros en cuanto pueden, más nosotros sabíamos que eso no estaría muy pronto. O quizá nunca ocurriría.

Ha estado horrible haber de abandonar nuestro hogar a tan corta edad, pero al menos nos habíamos el uno al otro. Durante el tiempo que hemos estado a cruzar el océano Atlántico, no nos hemos jamás separado. Como regalo de despedida, nuestro padre nos había dado un viejo libro de trucos mágicos y nos hemos pasado todos los días practicando trucos de cartas y entreteniendo a la tripulación del barco. Todas las noches, cuando nos acostábamos, fantaseábamos sobre nuestras vidas a Estados Unidos y sobre cómo nos convertiríamos en magos mundialmente famosos.

Nuestra madre había una prima a la ciudad de Kansas. Nos hacía mucha ilusión ir allí porque conocíamos el cuento del Mago de Oz y sabíamos que a Kansas abundaban los tornados y las aventuras. Lo que no sabíamos (hasta que estuvo demasiado tarde) era que su parte de la ciudad de Kansas era a Missouri, a casi cien kilómetros de la capital de Kansas, Topeka, donde dimos en bajarnos del tren.

Estaba de noche, habíamos frío, éramos cansados y llevábamos varias horas vagando para las calles de Topeka cuando hemos visto un maravilloso espectáculo iluminado delante de nosotros: un circo.

Desgraciadamente, al no haber dinero, no hemos podido entrar al entoldado del circo, la carpa, como la llaman. Mas hemos hallado una portezuela por la cual hemos visto caballos galopando, payasos haciendo juegos malabares e incluso un viejo tigre sarnoso saltando por un aro de fuego.*

* La gente del circo tiene un lenguaje propio. He recogido unas cuantas palabras en el apéndice, solo por si decides escaparte y unirte a un circo.

Lo que más nos ha impresionado ha estado el director de pista, tan espléndido con su sombrero de copa y su frac. No hablábamos mucho inglés, pero hemos sabido qué decía por su tono de voz, y por los gritos y aplausos del público. En un punto, habría jurado que nos ha visto y nos ha guiñado el ojo. Era como si nos conociera y nosotros fuéramos, aunque estábamos fuera y no habíamos pagado entrada, los espectadores más importantes de todos.

Cuando ha terminado la función, hemos ido a la feria junto con el público que salía de la carpa. Aquel estaba un circo ambulante tradicional con barracas de feria estupendas tales como un forzudo que comía fuego, una señora gorda con barba (que luego hemos sabido que estaba falsa) y un «faquir» (de hecho, un hombre blanco disfrazado para parecer un swami *indio). Siendo magos aficionados, queríamos mirar dentro de todas las barracas, pero los trabajadores de la feria —los feriantes—, nos vigilaban como si estuvieran halcones.*

Habíamos tantísima hambre que el olor a algodón azucarado, palomitas de maíz y cacahuetes estaba casi insufrible. Entonces hemos visto un carromato de comida que había restado sin vigilancia. Una hilera de manzanas de caramelo relucía bajo una guirnalda luminosa, listas para que alguien se las coma. Deprisa, hemos cogido una manzana cada uno y corrido a refugiarnos entre las sombras, detrás de las jaulas de los animales. ¡Qué suerte!

Mas en cuanto les hemos dado un mordisco, nos las han quitadas de las manos. Sobresaltados, hemos alzado la vista y visto a un feriante viejo y robusto, sonriéndonos burlonamente. Le faltaban casi todos los dientes y, créeme, aquella sonrisa era terrorífica.

—Sois muy amables ayudándome a dar de comer a los animales —ha dicho, arrojando nuestras manzanas a la jaula del tigre.

—Oh, no —ha añadido, riéndose, mientras nosotros veíamos que el tigre apartaba nuestras manzanas como si estuviera un gato jugan-

do con un cordel—. No le gustan las manzanas. Las manzanas solo son para abrirle el apetito. De carne humana, quiero decir.

Al decir aquello, nos ha agarrado a los dos por el pescuezo y se ha puesto a olfatearnos como si estuviéramos la cena. Luego, nos ha llevado a rastras hasta la puerta de la jaula del tigre. Nosotros hemos gritado y forcejeado, mas ha estado inútil; tanta estaba la fuerza con que nos agarraba.

Luego nos hemos puesto a llorar y a suplicar por nuestra vida en italiano. Éramos convencidos de que aquel iba a estar nuestro final.

—Adiós —he dicho a Luciano.

—No, adiós no, solo arrivederci —ha dicho él, mirando al cielo—. Siempre seremos juntos.

—Sí, siempre juntos —he dicho yo, intentando estar tan valiente como él. Le he tocado su marca de nacimiento en forma de luna creciente y he cerrado los ojos.

—¡Suéltalos, Sammy!

Estaba el director de pista, viniendo hacia nosotros.

—No os preocupéis, muchachos. Ese viejo tigre no tiene más dientes que Sammy. ¡No podría matar ni a una mosca!

Sonriéndonos con la mirada, ha dicho que ya deberíamos saber que no estaba buena idea salir corriendo con cosas robadas.

—Cuando se roba algo, hay que alejarse andando despacio —nos ha instruido—. De otro modo, llamáis la atención.

Como castigo para nuestro robo fallido, el director de pista nos ha ordenado que ayudemos a Sammy a limpiar las jaulas de los animales. Aliviadísimos de seguir vivos, nos hemos esforzado tanto que hasta Sammy ha estado complacido con nosotros.

A la mañana siguiente, agotados pero también muy emocionados, nos hemos sentado fuera de la caravana del director de pista con su hija de *tres años mientras su mujer preparaba el desayuno. Para pasar el rato, hemos sacado nuestra baraja y practicado trucos, que la hija del director de pista parecía encontrar divertidísimos. Nosotros no lo sabíamos, mas el director de pista nos estaba a observar desde la caravana. Cuando hemos terminado, ha aplaudido.*

—Lucy reconoce un buen truco cuando lo ve —ha dicho, señalando a su hija—. Probamos todos nuestros números con ella.

Cuando Luciano y yo nos hemos comido todo el beicon y las tortas (¿por qué la comida sabe mejor siempre al aire libre?), el director de pista nos ha ordenado que ayudáramos a su gente a recoger las tiendas. No nos ha preguntado de dónde veníamos ni adónde íbamos. Ha dado simplemente por sentado que viajaríamos con el circo, y eso hemos hecho.

Si eres una de las personas afortunadas (¿o están las desafortunadas?) que son hechas para la vida del circo, es tan natural como migrar lo es para los gansos o hibernar lo es para el oso.

Cuando hubo leído aquella última frase, Cas cerró el cuaderno del mago. Tuvo que dejar de leer no porque la historia hubiera terminado, sino porque había sonado el timbre. De hecho, había empezado a sonar cuando el tigre iba a comerse a Pietro y su hermano, y si Cas y Max-Ernest no se daban mucha prisa llegarían tarde a sus próximas clases.

Max-Ernest, con una rebeldía impropia de él, propuso que se saltaran la clase y continuaran leyendo, pero Cas señaló que de esa forma podían llamar la atención sobre su caso, algo que no deseaban. Al fin y al cabo, ninguno de los dos tenía por costumbre faltar a clase. Así que, muy a su pesar, acordaron posponer la lectura hasta la hora del almuerzo, momento en que volverían a reunirse detrás del gimnasio.

~~TRECE~~ 14*

LA HISTORIA DE LOS HERMANOS BERGAMO

SEGUNDA PARTE

Cuando llegó la hora del almuerzo, Cas estaba tan impaciente por retomar la lectura del cuaderno del mago que no se fijó en los coches patrulla y camiones de bomberos aparcados delante de la escuela.

¿Te lo imaginas: Cas perdiéndose lo que muy bien podía ser la primera catástrofe real en la historia de su escuela? Qué puedo decir, hasta un superviviente se distrae en ocasiones.

Prometo que retomaremos el asunto de los coches patrulla y el terrible acontecimiento que presagian. Pero, por el momento, vamos a quedarnos con Cas; tengo la certeza de que estás casi tan impaciente como ella por retomar la lectura del cuaderno.

Si, por algún motivo, tuviste que dejar de leer antes de que lo hiciera Cas —si, pongamos por caso, alguna mala persona

* Por supuesto, yo no creo que el número trece traiga mala suerte, pero, dadas las circunstancias, ¿por qué no curarse en salud?

te ha pillado leyendo este libro cuando tendrías que estar haciendo los ejercicios de clase o cuando deberías estar en el patio «disfrutando del sol»—, te recuerdo que Pietro y su hermano, después de tropezarse con el circo, se han convertido ahora en parte de él.

En cuanto Max-Ernest se reunió con ella detrás del gimnasio, Cas abrió el cuaderno y empezó a leer en voz alta:

Después de unas cuantas semanas en que hemos hecho todos los trabajos, desde limpiar los excrementos del elefante hasta hacer de ganchos, el director de pista nos ha dejado propiamente montar nuestro número. El número no solo incluía trucos de cartas sino también leerse el pensamiento —aquello estaba ideal para nosotros porque nos conocíamos muy bien y llevábamos casi toda la vida comunicándonos telepáticamente.

Además, y esto estará importante para mi historia, los dos teníamos «sinestesia», una confusión de los sentidos.

Para las personas con sinestesia, los sonidos y los colores e incluso los olores son todos mezclados en nuestra cabeza.

Cuando oigo un chirrido metálico, veo un brillante rayo de luz amarillo verdoso. Un chirrido de neumáticos está de color rojo anaranjado. Casi todas las campanas están azules, aunque, cuando veo el azul, no oigo las campanas, sino que huelo a jabón.

Con una determinada mujer incluso me ocurrió que solo tenía que decir una palabra para que yo viera una nube gris y me sintiera como si me estuviera ahogando al lago más frío de la Tierra, pero me estoy adelantando. Ella aparece un poco más tarde en mi historia. ¡Ojalá no hubiera nunca aparecido!

Lo que resultaba más útil en nuestra actuación era que, para mí y Luciano, los números y las letras habían todos colores. Por ejemplo, el *número 1 estaba verde, el 2 estaba morado y el 3 estaba amarillo. Asimismo, la X estaba roja, la Y estaba gris y la Z estaba azul turquesa.**

Recuerdo el día en que mi hermano y yo nos hemos dado cuenta de que los demás no veían las letras como nosotros. Habíamos siete años y una amiga del barrio estaba a dibujar con nosotros. Ha escrito su nombre un montón de veces y nosotros le hemos estado diciendo que utilizaba los colores equivocados. Me avergüenza decir que no nos lo hemos tomado con mucha filosofía. Nuestra amiga se ha puesto a llorar tan alto que nuestra madre ha tenido que venir a decirnos que ella podía utilizar los colores que le apetecieran.

En el circo, para nosotros estaba muy fácil mantener conversaciones en clave basadas en los colores. Si yo preguntaba a una niña del público su fecha de nacimiento, podía decírsela a Luciano con solo enseñarle unos cuantos pañuelos de colores. Él fingía que se concentraba mucho y gritaba luego su fecha de nacimiento como si la hubiera sabida durante el trance. De ese modo, parecíamos psíquicos muy convincentes.

Con el tiempo, nuestro número se ha convertido en algo espléndido. La mujer del director de pista nos ha hecho capas y turbantes de satén y Sammy, que ahora estaba amigo nuestro, nos ha ayudado a crear algunos efectos mágicos con música, humo y luz de muchos colores. Mas ha sido con la llegada de un misterioso regalo cuando nuestro número ha brillado realmente —y también se ha apagado para siempre.

Una tarde, un muchacho del pueblo nos ha traído un gran paquete envuelto en papel de embalar. Ha dicho que una hermosa se-

* Ver las letras en color recibe a veces el nombre de *audition colorée*, audición coloreada.

ñora le había pagado un dólar por traérnoslo, una fortuna en esos tiempos.

En cuanto se ha marchado, hemos rápidamente abierto el paquete. Al principio, no hemos tenido ni idea de qué estábamos mirando ni de por qué nos lo había enviado. Estaba una caja a madera, muy vieja, que contenía docenas de frascos de cristal. ¿Estaba un juego de química? ¿Para qué servía?

Solo cuando hemos visto una plaquita de latón que decía «La Sinfonía de Olores» hemos intuido qué podía ser. ¿Podía estar cierto? ¿Había otras personas en el mundo que percibían música y olores al mismo tiempo? ¡Qué fantástico!

Tras experimentar durante unos cuantos días, hemos descubierto que podíamos aumentar la intensidad de los olores encendiendo un fuego y vertiendo en él una pizca del contenido de los frascos. El humo adquiriría muchos colores y los aromas impregnaban el aire. También hemos añadido un poco de pólvora, la suficiente para sumar chispas al humo y los olores. Estaba muy emocionante verlo.

Luciano y yo hemos practicado todos los días hasta que hemos estado capaces de comunicarnos con el humo oloroso —«señales de olor» lo llamábamos nosotros—. ¡Imagínate: ahora yo podía decir a Luciano el nombre del gato de alguien con tan solo impregnar el aire de olor a mostaza! Nuestro número estaba ahora realmente «el festín de todos los sentidos».

Al director de pista le gustaba tanto el número que nos ha comprado una carpa especial con una gran pancarta que anunciaba «Los increíbles hermanos Bergamo y su Sinfonía de Olores». Dondequiera que hemos ido, él colgaba carteles anunciando nuestro número. Y estaba siempre gente haciendo cola para vernos.

Hacía un año que nos habíamos unido al circo y volvíamos a estar a Kansas. En el periódico estaba un artículo sobre nuestro núme-

ro y nos preguntábamos si la prima de nuestra madre vendría a vernos. Quién sabía, ¡a lo mejor nuestros padres habían llegado ya de la Italia y venían también!

Durante la función, he buscado entre el público, pero no he visto a nadie especial. Es decir, salvo una mujer que ha entrado en nuestra carpa hacia el final de la función y me ha hecho olvidarme por completo de mis padres.

Aquella mujer estaba tan hermosa que parecía hacer que el mundo entero se detenga. Había los ojos azules y una cintura tan diminuta que ella también habría de ser una atracción de circo. Había una larga melena rubia y llevaba unos guantes largos y elegantes que le llegaban hasta los codos. Relucientes joyas de oro la cubrían por doquier.

«Está propiamente una Dama Dorada» he pensado.

Después, la he visto parada a la entrada de nuestra carpa. Cuando el público se ha marchado, me ha sonreído y nos ha dicho a mi hermano a mí cuánto le ha gustado el número.

—¿Os gustó vuestro regalo? —ha preguntado—. Parece que le habéis sacado provecho.

—¿Qué regalo? —he preguntado yo.

—¡La Sinfonía de Olores, naturalmente! Es todo un tesoro, ¿sabes? La hizo un médico francés hace muchos años. Con formación científica. Pero era un gran amante de las letras.

Antes de que hemos habido tiempo de darle las gracias por el regalo, la Dama Dorada ha dicho que tenía una propuesta para nosotros. ¿Podía invitarnos a cenar para hablar de ella?

Como no habíamos nunca ido a un restaurante, su ofrecimiento ha estado muy apasionante y mi hermano ha aceptado de buena gana. Mas yo no he querido ir. No había ningún motivo para sospechar, mas, en cuanto la he oído hablar, he sabido que no estaba lo que parecía.

Sí, como quizás has adivinado, la Dama Dorada estaba la mujer cuya voz me hacía sentirme como si me estuviera ahogando. Ahora tiemblo de solo pensarlo.

He intentado buscar pretextos, recordando a mi hermano todas las tareas que habíamos de hacer. Él me ha dicho que nuestras tareas podían esperar. ¿Qué me pasaba? ¡Aquella mujer tan amable nos ofrecía llevarnos a un auténtico restaurante! Y así hemos seguido. Creo que Luciano era perdidamente enamorado de ella.

Finalmente, la Dama Dorada ha sugerido que Luciano se fuera a cenar con ella mientra yo restaba en el circo.

—Si no puedo tener a los dos hermanos, ¿puedo al menos tener uno? —ha preguntado, como si ella estuviera una niña y nosotros los juguetes de una juguetería.

Me he dado cuenta de que Luciano era nervioso por separarse de mí por primera vez en nuestra vida, más estábamos demasiado enfadados para cambiar de idea. Mi hermano se ha marchado sin decir adiós.

Yo he restado despierto toda la noche esperando a Luciano, imaginando todas las cosas terribles que podían haberle sucedido. Cuando a la mañana siguiente seguía sin regresar, he recorrido las carreteras, buscando señales de un accidente. Luego lo he buscado por el circo, pensando que a lo mejor se estaba escondiendo de mí por el enfado.

Mi hermano no era por ninguna parte.

Cuando he encontrado al director de pista dentro de su caravana, ha parecido muy sorprendido de verme, como si yo soy un fantasma o acabaran de salirme cuernos. Mas se ha recobrado enseguida y ha empezado a gritarme órdenes. Estaba casi la hora de irse. ¿Qué hacía holgazaneando? Cuando he intentado explicarle que se han llevado a Luciano, ha dicho que era demasiado ocupado para preocuparse por mi hermano.

El director de pista actuaba siempre de aquel modo impaciente, mas ha dicho algo más que me ha confundido.

—De todas formas, ella parecía una señora muy amable —ha mascullado—. Estoy seguro de que a tu hermano no va a pasarle nada.

¿Cómo podía saberlo? ¿Había conocido a la Dama Dorada?

Mientras hablaba, me he fijado en que cogía algo de la mesa. Estaba un fajo de billetes y ha jugueteado nerviosamente con él. Yo estaba todavía joven, pero había experiencia suficiente para comprender qué significa el dinero.

Hoy en día, estaría algo muy chocante vender dos gemelos de diez años a una desconocida. Mas aquello estaba el circo. Mi hermano y yo estábamos una atracción de feria, no mejores que monos adiestrados. No me ha sorprendido mucho que el director de pista nos cambiara por unos cuantos billetes. Pero lo he odiado por eso.

—¡Le mataré! —he gritado, y luego me he alejado corriendo de la caravana, y del circo, tan deprisa como he podido.

El resto de mi historia dura setenta años, pero en realidad es muy breve.

Sabía que no era buena idea ir a la policía. Yo estaba un niño, venía de la Italia y trabajaba en el circo, tres puntos contra mí en lo que respectaba a la policía. En vez de eso, me he pasado años viviendo en las calles, buscando a mi hermano, mirando las nucas de todos para ver si habían su marca de nacimiento en forma de luna creciente. No he jamás hallado ni una sola pista sobre el paradero de Luciano.

Salvo una.

Un par de días después de haber huido del circo, me he desplazado a la próxima ciudad donde actuaba. Mi plan estaba asesinar al director de pista mientras dormía. No sé cómo pretendía hacerlo: no había ninguna arma ni experiencia como asesino.

Estuviera cual estuviera mi plan, he llegado demasiado tarde. Donde había sido el circo, ahora solo había cenizas.

Aturdido, he vagado por aquel terreno ennegrecido. Algunos de los escombros más grandes continuaban a arder y desprender humo. También había un hedor terrible que en ese momento he creído que estaba olor a huevos podridos pero que ahora sé que estaba olor a azufre.

No he sabido qué era sucedido exactamente, pero de una cosa era seguro: habían incendiado el circo por mí.

Entre las cenizas y los escombros, he visto un trozo de papel arrugado. He reconocido la letra incluso a metros de distancia. Estaba una nota de mi hermano, escrita en un código que hemos inventado para la Sinfonía de Olores.

Decía una palabra: «SOCORRO».

La nota ha sido como un puñal en mi corazón.

Tras la pérdida de mi hermano, la magia ha dejado de tener magia para mí. Aun así, necesitaba ganarme la vida, por lo que he actuado en parques y esquinas de calles, y en trenes cuando lograba colarme en ellos con otros vagabundos.

Al final, he logrado actuar en clubes nocturnos y teatros y creo que soy un éxito como mago. Mas no me he nunca relacionado mucho —ningún amigo ha podido ocupar el lugar de mi hermano— y hoy en día soy un viejo ermitaño.

No obstante, no he nunca abandonado la esperanza de encontrar a Luciano. Contra toda razón, siento dentro de mí que sigue vivo.

Un día, hace unos cuantos años, estaba a leer una revista científica —el mundo de la naturaleza me ha siempre interesado mucho más que el mundo del hombre— y he reparado en un artículo acerca de la sinestesia.

Lo que más me ha llamado la atención ha estado una referencia a una niña prodigio de los años sesenta, una niña con tanto talento con el violín que ha terminado a ser una estrella internacional. Afirmaba ver colores cuando tocaba música, una conocida forma de sinestesia, y había compuesto una magnífica pieza musical titulada «La sonata del arco iris» cuando solo había siete años. A los nueve, la habían secuestrada y ya no había vuelto a saberse más de ella.

¡Otro niño sinestésico secuestrado! ¿Una mera coincidencia? Quizá. Mas era la primera pista que había encontrado en setenta años. No había más opción que investigar.

Misteriosamente, todos los artículos sobre la violinista eran desaparecidos de las bibliotecas. Por fin, en una librería de viejo de Alaska, he descubierto un artículo a una vieja revista que describía las circunstancias de su secuestro. Según un acomodador del auditorio donde había tocado por última vez, la violinista estuvo vista hablando con una mujer poco antes de su desaparición. El acomodador ha dicho que la mujer estaba «deslumbrante». Había el cabello rubio y joyas…

—¡Uf!. ¡Qué rabia!

Frustrada, Cas dio varias vueltas al cuaderno, buscando más páginas escondidas.

—¿Ya está? —preguntó Max-Ernest.

—Sí. Termina ahí.

—Pero no hemos descubierto cuál es ese terrible secreto.

—Lo sé. Creo que a lo mejor escribió más pero lo arrancó. Mira. —Cas abrió completamente el cuaderno y señaló un borde rasgado, apenas visible en el interior del lomo—. Como si hubiera tenido que salir huyendo con muchísima prisa y no se pudiera llevar todo el cuaderno, sino solo las páginas que le cupieran en el bolsillo.

—¿Como si hubiera oído a alguien acercándose u olido a humo o algo parecido? Supongo que es posible —dijo Max-Ernest—. O a lo mejor lo mataron y el asesino se llevó las páginas. O...

—Exacto —lo interrumpió Cas, muy seria—. Sabes quién es ella, ¿no?

—¿Quién? —preguntó Max-Ernest.

—La Dama Dorada. ¿No te has dado cuenta? La Dama Dorada es la señora Mauvais.

Max-Ernest negó con la cabeza.

—No, no lo es. No puede ser...

—Sí que lo es. Escucha. —Cas fue pasando páginas—. Tiene cintura de avispa, lleva un montón de joyas. Va con guantes.

—Lo parece —convino Max-Ernest—. Pero no puede ser la Dama Dorada. Eso no tendría ninguna lógica.

—¿Qué? ¿Por qué? Di una buena razón para que creas que no es ella.

—Vale. Aquí tienes una razón. La señora de la historia, la del circo, eso fue hace muchísimo tiempo. Si era la señora Mauvais, ahora tendría unos cien años..., si siguiera viva, claro está. ¿Qué te parece?

Cas se mordió el labio. Max-Ernest tenía razón. La señora Mauvais no parecía ni por asomo tan vieja.

—Si fuera un vampiro, podría ser ella —sugirió Max-Ernest—. Pero eso es muy dudoso. Nadie cree que los vampiros existan. Excepto los murciélagos vampiros, esos sí que existen, claro. Y el conde Drácula, él sí que existió. Pero no era un vampiro de verdad. Solo era un hombre malvado. Al menos, eso es lo que cree todo el mundo. No hay forma de saberlo con seguridad. Está muerto. Bueno, a menos que fuera realmente un...

—Vale, vale. Olvídate de los vampiros. Estoy de acuerdo, no es ella. No tendría ninguna lógica —dijo Cas—. ¿Qué crees que deberíamos hacer?

—Creo que deberíamos deshacernos del cuaderno cuanto antes, como nos sugirió el mago desde el principio —dijo Max-Ernest.

—¿Te refieres a dejar la investigación? ¿Ni siquiera quieres saber cuál es el secreto?

—Es demasiado peligroso —dijo Max-Ernest—. Solo tenemos once años. Personalmente, lo último que quiero es que me secuestren solo para poder saber qué pasa al final de un libro.

—Esa no es la cuestión —dijo Cas con vehemencia—. ¿No tienes sentido del honor? Debemos descubrir qué pasó. Se lo debemos a Pietro. Era un hombre tan amable...

—¡Ni siquiera lo conocemos!

—Lo sé. Y, de hecho, él apenas conocía a nadie. Por eso mismo, si nosotros no seguimos investigando, ¿quién lo hará?

Max-Ernest no tenía una respuesta.

—Además —añadió Cas—, es demasiado tarde para echarse atrás. Quizá no sepamos quién es la señora Mauvais, pero, desde luego, ella sí sabe quiénes somos nosotros.

QUINCE
UNA CONFUSIÓN DE LOS SENTIDOS

Cas y Max-Ernest salieron de detrás del gimnasio tan enfrascados en su conversación que tardaron varios segundos en darse cuenta de que el patio estaba vacío.

—No me lo puedo creer —dijo Cas—. Por fin evacuan la escuela y yo ni siquiera he estado presente.

—Creo que a lo mejor ha sido una falsa alarma —dijo Max-Ernest, señalando el auditorio con la cabeza: de él estaba empezando a salir un río de alumnos y profesores.

Amber se acercó a ellos, con su Besito de esa semana colgado del cuello.

—¿Dónde estabais? —preguntó—. ¡Os habéis perdido la asamblea!

Amber, que además de ser la niña más simpática de la escuela era también la más locuaz (de no haber sido tan simpática, cabría haber dicho que era la más cotilla), les dio la noticia: Benjamin Blake había desaparecido. Por eso habían venido la policía y los bomberos.

Amber les explicó que Benjamin se había bajado del autobús escolar aquella mañana pero no había llegado a entrar en clase. Nadie lo había visto marcharse; nadie había venido a recogerlo. Él no tenía ningún justificante para ausentarse de clase, ni tan siquiera una nota de sus padres. Cualquier alumno que lo hubiera visto o tuviera alguna idea de cuál podía ser su paradero tenía que informar a la señora Johnson de inmediato, para poder avisar a la policía.

—No puedo creer que no te hayas enterado —dijo Amber cuando terminó su resumen de los acontecimientos—. Pensaba que las emergencias te encantaban, Cas.

—No es que me encanten —dijo Cas irritada—. Solo me gusta estar preparada. De hecho, eso era lo que estábamos haciendo justo ahora. Preparándonos para una emergencia.

—Somos colaboradores —dijo Max-Ernest.

Lo cual hizo que a Cas le entraran ganas de estrangularlo.

—Oh, bien. Me parece estupendo que seáis amigos —dijo Amber.

Lo cual hizo que a Cas le entraran ganas de estrangularla.

—Por cierto, ya casi se me ha terminado —añadió Amber, cogiendo su Besito—. Sabe a algodón azucarado. ¿Lo quieres, Cas?

—Hum, claro. Gracias, Amber —dijo Cas de forma automática.

Lo cual hizo que a Cas le entraran ganas de estrangularse.

—Ha sido mi Besito número cien —se jactó Amber al dárselo—. Me han dado esto al comprarlo. —Se señaló la pechera de la camiseta, donde ponía:

¡YA LLEVO CIEN BESITOS!

en letras de purpurina que centellearon al sol. Se dio la vuelta; en la espalda de la camiseta, ponía:

Hermana Escaleto honorífica

—¿Qué es una «Hermana Esqueleto»? —preguntó Max-Ernest cuando Amber se hubo reunido con sus amigas—. ¿Es una película de miedo, una comedia o algo así?

—«Esqueleto» no, «Escaleto»... Oh, da igual —dijo Cas—. Me gusta más tu nombre. En cualquier caso, eso es lo que parecen: hermanas esqueleto.

Mientras ella y Max-Ernest regresaban a clase, Cas le explicó que esa mañana se había tropezado con Benjamin en el pasillo.

—Es posible que sea la última persona en haber hablado con él.

«¡Y qué desagradable he sido!» pensó con sentimiento de culpa. Pero esa parte se la guardó.

—¿Vas a contárselo a la señora Johnson? —preguntó Max-Ernest.

—No lo sé. Probablemente, creerá que me lo he inventado —dijo Cas con no poca amargura.

Como la mayoría de alumnos de su escuela, Cas y Max-Ernest solían pasar por delante de los dibujos colgados en el pasillo sin prestarles más atención de la que prestaban a la vitrina de los trofeos que se entregaban mensualmente a la clase con mejor conducta o a los anuncios del tablón sobre donaciones de juguetes en Navidad. Ahora, sabiendo que Benjamin Blake había desaparecido, se detuvieron a mirar los dibujos con más detenimiento.

—No veo qué tienen de especiales —dijo Max-Ernest—. Me refiero a que no representan nada. Parecen salvapantallas.

—No representan nada, esa es la cuestión —dijo Cas, quien súbitamente se sintió en la obligación de salir en defensa de Benjamin. Era lo menos que podía hacer, teniendo en cuenta cómo lo había tratado—. ¿No has oído hablar nunca del arte abstracto? Fíjate en los colores. Y las formas.

—¿Qué podría estar mirando si no? ¡Son lo único que hay!

Un dibujo consistía principalmente en círculos concéntricos, como si alguien hubiera arrojado un objeto a un lago de color morado.

—¿«Canción de lluvia»? —preguntó Max-Ernest, mirando la ficha pegada a la pared junto al dibujo—. ¿Por qué es una canción? No hay sonido, ni palabras...

—¿Cómo voy a saberlo? Supongo que eso es en lo que piensa cuando piensa en... la lluvia.

Max-Ernest dijo que no le extrañaba que alguien tan ilógico como Benjamin Blake desapareciera. Probablemente, ni siquiera sabía dónde estaba la mitad del tiempo.

—Pero, de todas formas, espero que esté bien —añadió—. Aunque no hace nada con lógica, no es mala persona. Al menos, no es malo, malo. Solo es malo desde un punto de vista lógico. O sea, ¿y si condenaran a muerte a las personas solo por ser ilógicas?...

No terminó la frase porque Cas ya no lo escuchaba; estaba leyendo los títulos de los otros dibujos. Uno se llamaba *Música de grillos y coches.* Otro, *La canción que canto cuando tengo miedo.* Otro, *La radio del despacho de mi madre.*

Cas frunció en entrecejo.

—¿Qué? —inquirió Max-Ernest.

—¿No lo ves?

—¿Ver qué?

—Benjamin Blake es como los hermanos Bergamo.

—¿Qué quieres decir?

—Tiene... ¿cómo se llama? La confusión de los sentidos.

—¿Es sinestésico?

Cas asintió con la cabeza.

—¿Cómo lo sabes?

—Todos sus dibujos son dibujos de música...

—¿Y?

—Pues que eso sea una confusión de los sentidos. Como ver canciones.

—Hum. Quizá —dijo, obviamente poco convencido.

—¡Venga! ¡Se lo tenemos que contar a alguien! —dijo Cas, alejándose de los dibujos.

—¿Por qué? ¿Cuál es el problema?

—¿No lo ves? Benjamin era el niño que iba en la limusina del doctor L y la señora Mauvais. ¡Lo han secuestrado!

—Pero creía que habías aceptado que la señora Mauvais no era la misma mujer que la del cuaderno.

—Bueno, pues lo retiro. Me da igual la edad que tenga. Lo han hecho y punto. Anda, vamos...

Cas se puso a correr por el pasillo. Max-Ernest la siguió, tratando de no quedarse rezagado.

—¿Dices todo esto solo por un dibujo de color morado?

Cas asintió con la cabeza.

—Debieron de haber visto los dibujos de Benjamin cuando nos estaban buscando. Y entonces ella ha decidido llevárselo. Igual que se llevó al hermano del mago. Y también a esa niña violinista.

—Estás loca —dijo Max-Ernest.

—¡No lo estoy!

—Esta no es más que otra de tus descabelladas predicciones. Igual que con ese ratón. Creías que los residuos tóxicos lo habían matado y solo se había envenenado.

—Eso no lo sabes seguro —dijo Cas, con las orejas ardiéndole. (No sabía que Max-Ernest había visto el matarratas.)—. De todas formas, esto es distinto. La vida de Benjamin corre peligro y a ti ni siquiera parece importarte.

—Bueno, creo que a ti tampoco te importa realmente. Mi médico nuevo dice que tú solo eres una superviviente y estás siempre intentando salvar a todos porque a tu padre lo mató un rayo. No creo que todo esto tenga nada que ver con ellos.

Cas dejó de correr y miró a Max-Ernest.

—¿Le has contado a tu médico lo de mi padre?

—¿Y qué? Me dijiste que no era un secreto, secreto.

—No lo es...

—Entonces, ¿por qué estás tan enfadada?

—¡No estoy enfadada!

—Tienes las orejas como pimientos.

—¡No es verdad!

—Tú no te las ves.

—De todas formas, me da lo mismo lo que pienses porque no creo que debamos continuar siendo colaboradores —dijo Cas, mirando disimuladamente su reflejo en una vitrina de cristal.

—¿En serio?

—Con tu enfermedad, no es seguro. Para ninguno de los dos.

—¡Ni siquiera saben qué enfermedad tengo!

—Por eso es tan peligroso. Simplemente, no puedo contar contigo. No te lo tomes a mal. No es nada personal. En fin, tengo que ir a clase.

—Yo también —dijo Max-Ernest.

Sin decirse adiós, se separaron y cada uno se dirigió a un extremo del pasillo.

Da rabia, lo sé.

Ojalá pudiera decirte que, de pronto, Max-Ernest comprendió por qué podía no haber querido Cas que él hablara a su médico de su padre, aunque no fuera técnicamente un secreto, y que corrió de inmediato tras ella para pedirle disculpas. O que, de pronto, Cas se dio cuenta de que Max-Ernest no había querido ofenderla contándoselo a su médico y corrió inmediatamente tras él para decirle que podían volver a ser colaboradores. O que, de pronto, los dos se dieron cuenta de que su amistad era más importante que diferencias sin importancia y corrieron inmediatamente el uno hacia el otro para darse un fuerte abrazo.

Pero no puedo decirte ninguna de esas cosas; no sucedieron. En otro momento, podría haberme inventado una escena falsa para hacerte sentir mejor. Normalmente, no tengo escrúpulos para complacer a mi público. No obstante, el curso que toma el relato a partir de aquí está influido por la pelea entre Cas y Max-Ernest. Si pusiera fin a su pelea ahora, el resto del relato carecería de sentido. Así que perdóname: en este caso, al menos, debo ceñirme a la verdad.

De hecho, Cas no estuvo pensando mucho en Max-Ernest después de separarse de él; estuvo pensando en Benjamin Blake. Más concretamente, estuvo pensando en que a Benjamin Blake lo habían secuestrado por su culpa.

Su razonamiento era el siguiente:

1. Si ella no hubiera cogido el cuaderno del mago, la señora Mauvais y el doctor L no se habrían puesto nunca a buscarla.
2. Si la señora Mauvais y el doctor L no se hubieran puesto nunca a buscarla, jamás habrían visto los dibujos de Benjamin.
3. Si ellos no hubieran visto nunca los dibujos de Benjamin, jamás lo habrían secuestrado.

Conclusión*:* era responsabilidad suya asegurarse de que Benjamin volvía a casa sano y salvo antes de que lo quemaran vivo en un infierno de azufre.

DIECISÉIS

UN RUMOR SOBRE SANGRE DE MONO, UNA NOTA DE RESCATE FALSA Y UNA LLAMADA TELEFÓNICA ESPELUZNANTE

Cas solo tenía una pista del paradero de Benjamin: el nombre de la limusina en que se lo habían llevado, *Sensorio y balneario Sol de Medianoche.*

No tenía la menor idea de qué era un sensorio, a menos que fuera una de esas bañeras de flotación de las que había oído hablar. Ya sabes, esas en las que las personas se sumergen en agua para hacer una regresión hasta cuando eran un feto dentro de la matriz de su madre. Pero sí sabía qué era un balneario, más o menos.

Los balnearios eran lugares para lo que su madre llamaba «tiempo para mí» y normalmente incluían masajes. Cas incluso había estado en uno una vez, si contaba la cabina que Amber y sus amigas habían montado para la feria escolar de aquel año. (Lo único que hicieron fue poner asquerosas rodajas de pepino en los ojos y harina de avena fría en la cara, pero, naturalmente, a todos les encantó el balneario, porque era de

Amber.) La experiencia no había hecho nada para mejorar la opinión que Cas tenía de los balnearios. Quedarse tumbado recibiendo cuidados cuando uno podía estar preparándose para una emergencia era contrario a todo lo que Cas defendía.

Era lógico que alguien como la señora Mauvais tuviera un balneario.

La parte positiva era que, si su balneario existía, Cas sabía justo dónde encontrar información sobre él. Disponía de cincuenta minutos para ir a casa y volver antes de la próxima clase. Iba a tener que correr, y confiar en que nadie la viera.

Después de llevar una semana fuera de casa, estaba tan poco habituada a entrar en su propio hogar que se olvidó del código de la alarma; solo se acordó de introducir su fecha de nacimiento cuando la alarma se disparó. Las cortinas estaban corridas y las luces apagadas y Cas —sintiéndose cada vez más como una ladrona— decidió dejarlas así. Si los vecinos veían luz, podrían hacer preguntas. Por un momento, pensó en Max-Ernest. De haber tenido un amigo con ella, quizá no se hubiera sentido tan intranquila. Pero se lo quitó de la cabeza. Era mejor trabajar sola, se recordó. En eso precisamente consistía ser una superviviente.

La obsesión de su madre con las guías de viaje siempre la había desconcertado, pero ahora le estaba agradecida. Fue cogiendo guías de la librería hasta tener una montaña de ellas, todas sobre balnearios. Luego se sentó en el suelo y se puso a hojearlas. Tenían títulos como *¡Al agua patos!* y *Bañarse es vivir* y estaban llenas de fotografías de puestas de sol, burbujeantes jacuzzis y sonrientes adultos envueltos en toallas y recibiendo masajes. Cas pensaba que todos los balnearios eran iguales pero, por lo visto, para su madre, eran todos distintos. Había notas suyas garabateadas en las páginas: «¡Parece un sueño!», «¡Demasiado caro!», «¿Dónde está la playa?». Junto a un balneario, había escrito: «¿Llevar a Cas estas Navidades como sorpresa?». Cas volvió rápidamente la página para no caer en la tentación de leer la reseña.

Cuando terminó de hojear todas las guías, supuso que ya debía de haber leído sobre todos los balnearios del país, pero seguía sin encontrar ninguna referencia al Sol de Medianoche. Ya había comenzado el laborioso proceso de volver a dejar los libros en su sitio cuando se fijó en una guía de viajes vieja y estropeada que se había deslizado por detrás del resto. La tapa se le había caído, revelando la primera amarillenta página de la introducción y... ¿cuál era esa palabra?

Resultó que la palabra que le había llamado la atención era «sanatorio» (un sanatorio, averiguó, es donde antes enviaban a las personas que tenían tuberculosis o una enfermedad mental). La introducción también mencionaba los «solarios» (recintos de cristal donde la gente tomaba el sol, en los viejos tiempos, antes de que sus madres se preocuparan por el cáncer de piel), pero ni un solo «sensorio».

Al final, no obstante, la suerte la acompañó. Escondida dentro del libro, Cas descubrió una reseña sobre el Sol de Medianoche. Esto es lo que decía:

¡AH, VOLVER A SER JOVEN!

La aspiración más antigua de la Tierra.
La sed que no puede saciarse nunca.
La batalla que no podrá ganarse jamás.
¿O sí?

El sensorio y balneario Sol de Medianoche
no promete menos.

Creado hace más de un siglo por un selecto grupo de médicos y espiritualistas, el Sol de Medianoche es uno de los centros más exclusivo —y misterioso— del mundo.

Como el mítico mundo de Shangri-la, esta mágica utopía ha dado origen a muchos rumores. Algunos dicen que los clientes del Sol de Medianoche se bañan en oro fundido. Otros, que beben sangre de monos recién nacidos. Aun otros consideran que el Sol de Medianoche es una estafa y un fraude. ¿Ciencia? ¿Medicina? ¿Brujería? Quién sabe... Sus tratamientos son secretos y están celosamente guardados. Nadie habla del Sol de Medianoche en público si espera volver a visitarlo alguna vez.

¿Intrigado?

A menos que sea una persona famosa o pertenezca a la realeza, es casi imposible conseguir plaza en este santuario secreto. Pero quienes tengan el valor de intentarlo, pueden llamar al XX XXX XX XX. O escribir a XXX Xxxxxx Xxxxxxx, X Xxxxxxxx x X, Xxxxxx, Xxxxx.

Cas se metió el libro en la mochila, reflexionando sobre lo que había leído. ¿Por qué querían tantos adultos ser jóvenes, cuando se tardaba tanto en envejecer? Era como hacer un viaje de un millón de kilómetros y querer dar media vuelta sin bajarse del coche. Aun así, había visto suficientes anuncios para saber que las personas mayores harían cualquier cosa por parecer más jóvenes. Vale, puede que no se bañaran en oro fundido: el oro estaría a tanta temperatura que las quemaría. Pero no le cabía ninguna duda de que la señora Mauvais bebería sangre de mono, si tenía ocasión.

Cas tenía ahora la dirección del Sol de Medianoche. Pero ¿qué hacer con ella? Aquella fue la pregunta que se hizo mientras regresaba corriendo a la escuela.

No podía dársela sin más a la señora Johnson. No, después de su última conversación. Si Max-Ernest no se creía su teoría sobre el secuestro de Benjamin, la señora Johnson no lo haría jamás.

Cas pensó en escribir una nota anónima, como un soplo de un buen ciudadano, pero luego tuvo una idea mejor: una nota de rescate. Cualquiera podía escribir una nota anónima, razonó; una nota de rescate seguro que captaba la atención de la señora Johnson. Y Cas sabía, por libros de detectives y programas de televisión, que la policía utilizaba las notas de rescate para localizar a los malos. Con un poco de suerte, la señora Johnson los enviaría a rescatar a Benjamin en cuanto la leyera.

Bajo estas líneas está la nota de Cas. Naturalmente, tomó la precaución de disimular su letra. Asimismo, intentó ser muy educada porque sabía que la señora Johnson era muy puntillosa:

Estimada señora Johnson:

Buenos días.

Hemos secuestrado al artista Benjamin Blake. Por favor traiga un maletín con un millón de dólares al Sensorio y balneario Sol de Medianoche. ¡De lo contrario, Benjamin morirá de una forma terrible!

Atentamente,

doctor L y señora Mové

P. D.: La dirección del Sol de Medianoche es XXX Xxxxxx Xxxxxxx, X Xxxxxxxx x X, Xxxxxx, Xxxxx.

No podría haber ido peor.

Cinco minutos después de haber metido la nota por la ventana de la señora Johnson, Cas tuvo que ir a su despacho.

La directora tenía la nota en la mano. En todos sus altercados con ella, Cas jamás la había visto tan enfadada.

—Estoy extremadamente disgustada contigo, Casandra —dijo—. ¿Pensabas que no iba a saber que esto era obra tuya? No me puedo creer que sigas con tus bromitas pesadas sabiendo que uno de tus compañeros ha desaparecido y posiblemente corre grave peligro.

—Pero es cierto que lo han hecho. ¡Tenían una limusina donde ponía Sol de Medianoche y he visto a un niño mirando por el cristal de atrás!

—¿Y estás segura de que era Benjamin? Dime la verdad.

Más que ninguna otra cosa en el mundo, Cas quería decir que sí, pero la señora Johnson percibió vacilación en su rostro.

—No sé qué tienes contra esa pareja, pero te lo advierto, si me entero de que estás molestando a algún profesor o alumno o, Dios no lo quiera, a la policía, con tus extravagantes teorías, ¡te expulsaré durante el resto del curso! ¿Me he expresado con claridad?

Cas asintió con la cabeza.

—Debo admitir que esta es una de las notas de rescate más educadas que he recibido en mi vida. Al menos, tus modales están mejorando. Ahora, ¡sal de mi despacho!

Esa tarde en el autobús, Cas se sentó con las rodillas apoyadas en el respaldo del asiento que tenía delante, ignorando a todos y todo lo que había a su alrededor.

Tenía que rescatar a Benjamin Blake. Pero ¿cómo?

No con la ayuda de directoras de colegio ni policías.

Y, desde luego, no con la ayuda de cierto niño que hablaba por los codos.

El paso obvio era ir al Sol de Medianoche. Pero ¿cómo iba a desplazarse hasta allí? Sus abuelos no la llevarían de ninguna de las maneras. No si eso la hacía faltar a clase y los exponía a la ira de su madre.

Además, incluso si lograba ir al Sol de Medianoche, ¿cómo iba a entrar? Ella no era famosa ni pertenecía a la nobleza ni a realeza; solo era una niña. Y las niñas no iban normalmente a balnearios.

Excepto quizá las niñas como Amber.

¿Qué haría Amber si quisiera entrar?

Al bajarse del autobús, Cas tuvo una inspiración.

Antes de que pudiera arrepentirse, sacó la vieja guía de viajes de su mochila y buscó el número de teléfono del Sol de Medianoche. Luego, lo marcó en su teléfono móvil. Apenas podía creerse lo que estaba haciendo y notó esa sensación de vértigo y mareo que se tiene cuando se gasta una broma por teléfono, solo que aquello daba mucho más miedo.

Para alivio suyo, saltó el contestador. «Ha contactado con el sensorio y balneario Sol de Medianoche —dijo una voz glacial inconfundible—. Por favor, deje un mensaje si está listo para despedirse de su viejo yo y saludar al nuevo.»

Cas se estremeció, recordando lo que el mago había escrito acerca de que la señora Mauvais lo hacía sentirse como si se estuviera ahogando en las aguas más frías de la Tierra. Ella no era sinestésica, pero sabía exactamente a qué se refería.

—Hola. Soy… una de las hermanas Escaleto. Me gustaría hacer una reserva para pasar unos días en el Sol de Medianoche.

Dejó su número. Luego, soltó el teléfono, preguntándose si, después de todo, Max-Ernest no tendría razón. Puede que estuviera loca.

Tardó un par de segundos en darse cuenta de que el teléfono estaba sonando.

Conteniendo la respiración, recogió el teléfono del suelo y lo sostuvo a varios centímetros de la oreja, como si fuera una clase de serpiente particularmente peligrosa.

—Hola —dijo alegremente la señora Mauvais—. ¡Cuánto me alegro de tener noticias de una hermana Escaleto! ¿Con quién hablo, si me lo permites? ¿Con Romi o con Montana?

—Hum, con ninguna de las dos —respondió Cas, pensando deprisa—. Yo soy la otra.

—Oh, ¿hay otra? No tenía ni idea.

—Sí, me llamo Amber. Soy la más pequeña. Me tienen escondida. Pero también soy famosa —explicó Cas. (Se alegró de haber estado practicando mentiras con su madre.)

—Oh, ¿eres una de esas estrellas que prefieren mantenerse en el anonimato? Son mis favoritas. Estar en el punto de mira es agotador, ¿no crees? —preguntó la señora Mauvais.

—Sí. Por eso quiero ir al Sol de Medianoche. Me han dicho que es muy íntimo. Y me han dicho que todos sus tratamientos son estupendos. Sé que es difícil tener plaza. Pero he pensado que, como soy una estrella, a lo mejor…

—Pareces muy enterada —dijo la señora Mauvais, riéndose animadamente.

—Sí, lo estoy —dijo Cas, nada dispuesta a admitir que aquello era todo lo que sabía.

—Bueno, estás de suerte. Casualmente, tenemos una vacante esta noche. ¿Envío la limusina a buscarte?

—Hum, sí, supongo —dijo Cas, quedándose sin voz—. Eso estaría bien.

—Magnífico. Estoy segura de que te encantarán todos nuestros tratamientos.

Cas se estremeció. Más que de «tratamientos», parecía que la señora Mauvais estuviera hablando de «escarmientos».

DIECISIETE

HE CAMBIADO DE OPINIÓN

O quizá debiera decir que he recobrado la cordura.

En vez de seguir relatando las aventuras de Cas y Max-Ernest, voy a concluir este libro aquí, mientras no corren peligro todavía.

Lo que es más importante, mientras tú no corres peligro todavía.

Sé que estás enfadado conmigo. Has llegado hasta aquí. Piensas que estás en tu derecho de saber cómo concluye el relato.

Adelante: ríete, grita, llora, arroja este libro contra la pared.

Si supieras —bueno, ahí está el problema, que no lo sabes, ¿no?—. Si supieras la verdad, iba a decir, si supieras todo lo que encierra este relato, todos los hechos siniestros, todos los detalles tétricos, me darías las gracias por ahorrártelos.

Desgraciadamente, como no los sabes, te irás a la tumba odiándome, creyendo que soy tu enemigo, cuando, por primera vez, estoy actuando como amigo.

Felizmente, no sabes cómo encontrarme. Si lo supieras, no me cabe la menor duda de que intentarías sobornarme para que concluyera el relato. Sé cómo eres. También sé cómo soy yo. Soy muy vulnerable a los sobornos. Como probablemente ya habrás advertido, no tengo ningún autocontrol de ninguna clase.

Lo que más me gusta es el chocolate. Pero también tengo cierta debilidad por el queso.

Si, por ejemplo, me pasaras por debajo de la nariz un brie muy fermentado —puede que a ti te pareciera repugnante y apestoso, pero estarías equivocado, oh, equivocadísimo— y me tentaras con darme un bocado, solo para decirme que el precio por ese bocado era continuar mi relato, me temo que me pondría a escribir sin dudarlo ni un momento. Y si me dieras, pongamos, un trozo de chocolate, negro como el carbón, de origen europeo, con un porcentaje de cacao altísimo —no te olvides de ese alto porcentaje de cacao—, bueno, no hay duda de lo que haría. O no haría.

De hecho, resulta que me he estado reservando un trozo de chocolate muy similar al que acabo de describir para una ocasión especial. Ahora mismo, está en un estante muy alto al que no puedo acceder sin una escalera. Lo he puesto ahí para no comérmelo a la primera de cambio. Debo admitir que jamás lo he deseado tanto como ahora.

El chocolate de mi estante es extrafino. No voy a mencionar la marca; esa es la clase de información que podría ayudar a mis enemigos a localizarme. Pero créeme, no es barato. Muchas mazorcas de cacao han dado su vida para elaborar ese chocolate. Casi puedo saborearlo en este mismo momento.

Hummmmm, ¿qué debo hacer para comérmelo?

No estaría bien que me comiera el chocolate sin ofrecerte nada a cambio. No soy la clase de persona que acepta un soborno y luego finge no saber qué significa. ¿Dónde está el honor en eso?

En pocas palabras, si quiero comerme el chocolate, debo seguir escribiendo.

¡Qué dilema tan horrible! Por una parte: renuncio al chocolate, me mantengo sano y esbelto y pongo fin a este descabellado relato. Por otra: me subo a la escalera, me como el chocolate y, luego, cargado de azúcar y culpa, continúo mi relato, sabiendo que posiblemente te estoy sentenciando a un destino que es peor que la muerte.

De hecho, planteada así, la decisión es bastante fácil.

Enseguida vuelvo.

DIECIOCHO
ERA UNA NOCHE OSCURA Y TORMENTOSA

Lo era, de veras. Oscura y tormentosa.

Como si el mismo tiempo atmosférico hubiera conspirado para convertir nuestro relato en una historia de terror.

O como si —y esto parece más plausible— la señora Mauvais controlara de algún modo los cielos y los estuviera utilizando para velar los acontecimientos de aquella noche.

En cualquier caso, el tiempo me facilita la tarea. Crea el clima adecuado. Y elimina la necesidad de ocultar ciertos datos. Como la ubicación de la esquina donde estaba esperando Cas. Con tanta lluvia, lo más probable es que ni siquiera hubieras advertido su presencia.

A Cas, lamentablemente, el tiempo no le facilitó nada las cosas, sino que solo la mojó. Y la dejó congelada. Castañeteando los dientes, aguardó bajo una farola, abrazando la mochila para abrigarse. Aunque no le sirvió de mucho. La mochila no estaba más seca que su ropa.

Le había costado decidir qué ponerse.

Tras su conversación telefónica con la señora Mauvais, había vuelto de nuevo a casa y rebuscado en los armarios de su madre. Hasta se había probado un vestido por primera vez en más de un año. Pero, pese al estirón que había dado hacía poco, cuando se ponía la ropa de su madre seguía pareciendo que estuviera jugando a los disfraces. También había considerado pedir a Amber su camiseta de «hermana Escaleto honorífica», pero no pudo reunir el valor suficiente para llamarla y pedírsela. Además, concluyó, lo más probable era que una hermana Escaleto auténtica no llevara esa camiseta.

Finalmente, decidió ponerse sus vaqueros y su sudadera de siempre, pero modificó el conjunto con un par de botas peludas que su madre se había comprado para una de sus salidas a la nieve jamás realizadas. No eran exactamente como las botas de ante que llevaban Amber y sus amigas, pero se parecían bastante. (Sé que al principio de este libro te he dicho que Cas jamás se pondría unas botas como esas; me olvidaba de que podía llevarlas como parte de un disfraz.)

Ahora se arrepentía de haberse puesto las botas. No solo le iban grandes, sino que no eran impermeables. Tenía los pies empapados y hacía ruido al andar. Se sentía como el yeti.

Su otro nuevo accesorio era igual de poco práctico para aquel tiempo: un par de gafas de sol. Pero hasta Cas sabía que las estrellas llevaban gafas de sol de forma permanente, bajo techo además de al aire libre. Además, le ayudaban a disimular su rostro, lo cual es, presumiblemente, por lo que las llevan las estrellas. (Si Cas me hubiera preguntado, yo le habría dicho lo que digo a todas las personas que intentan ir de incógnito: «Pierde las gafas». Llevarlas solo consigue llamar más la atención.) Cas estaba segura de que ni la señora Mauvais ni el doctor L la reconocerían —solo le habían visto la cara un segundo—, pero era mejor ser precavida.

Huelga decir que ni siquiera se planteó separarse de su mochila. Le daba lo mismo si una hermana Escaleto la habría llevado o no.

Pensó melancólicamente en la tetera que el abuelo Larry estaría sin duda preparando en una noche lluviosa como aquella. Deseó haber pasado por el parque de bomberos para tomarse una taza antes de acudir a su cita con la limusina del Sol de Medianoche. En vez de eso, había telefoneado a sus abuelos para decirles que se quedaba a pasar la noche en casa de Max-Ernest para trabajar en el experimento del volcán (cuya fecha de entrega se iba posponiendo oportunamente). Dormía allí muy a menudo, añadió. Y su madre ya había hablado con los padres de Max-Ernest, por lo que no había motivo para pedirle permiso.

Sus abuelos le habían hecho unas cuantas preguntas y pedido el teléfono de Max-Ernest, pero seguían sintiéndose tan culpables por cómo habían reaccionado con la desaparición de la Sinfonía de Olores que no le habían dado muchos problemas. La parte más difícil fue tener que oírlos discutir sobre si su volcán debería entrar en erupción con Alka-Setzer o con hielo seco.

—Confiáis en mí, ¿no? —les había preguntado Cas. (Aprovecharse del sentimiento de culpa de sus abuelos le despertó un poco el suyo, pero tenía que conseguir que colgaran.)

—¡Pues claro! —le aseguraron ellos.

Luego, había llamado a su madre y le había dicho prácticamente lo mismo, salvo que a ella le dijo que eran sus abuelos quienes habían hablado con los padres de Max-Ernest, por lo que no había ningún motivo para llamarlos.

—Y no me llames a las nueve esta noche, ¿vale? —añadió—. Max-Ernest y yo vamos a estar trabajando.

—No os acostéis tarde —dijo su madre—. ¿Vale, Cas?

—Ajá.

—¿Me lo prometes?

—Ajá.

—Perdona, no te he oído.

—¡Sí, mamá!

—¿Sí qué?

—¡Sí, te lo prometo!

—Vale, te quiero.

—Yo también.

—Yo también ¿qué?

—¡Yo también te quiero! ¡Jolín!

Aunque ella y Max-Ernest ya no eran colaboradores y pedirle ayuda era, en cierto modo, poco ético, Cas no tuvo más remedio que llamarlo también a él; tenía que avisarle de que sus abuelos, o incluso su madre, podían llamarlo.

Había sido muy profesional con Max-Ernest, pensaba ella. Le dijo dónde había escondido el cuaderno del mago y le dio toda la información que tenía sobre el Sol de Medianoche. Y no le dijo nada de que hubiera abandonado la misión o fuera un cobarde y un traidor. (De algún modo, con tanta actividad, había olvidado que era ella quien había puesto fin a su colaboración.) Max-Ernest apenas dijo nada, para variar, lo cual le fue bien. Con un poco de suerte, sería capaz de fingir que ella se había quedado a dormir en su casa, al menos hasta la mañana siguiente.

Entonces, bueno, todo el mundo empezaría a buscarla —probablemente—. Pero ¿sería ya demasiado tarde?

No vio la limusina hasta que esta se detuvo delante de ella levantando agua con las ruedas y brillando por las gotas de lluvia que la cubrían.

Mientras aguardaba, el conductor se bajó y se dirigió hacia ella, ignorando la tormenta. Era alto y corpulento y apenas se distinguía en la oscuridad, salvo por un par de resplandecientes guantes blancos. ¿Era el doctor L?

El instinto le había dictado que saliera corriendo. Pero algo que no era exactamente valentía ni miedo, ni el conocimiento de la grave situación de Benjamin, la mantuvo pegada al suelo.

—¿Señorita Escaleto?

La voz era ronca pero no tan grave como esperaba.

—Sí, soy yo —dijo Cas con el tono más convincente posible.

—Soy Daisy.

Daisy se colocó bajo la luz de la farola, revelando un rostro claramente poco agraciado pero indiscutiblemente femenino. Sin decir nada más, abrió la puerta trasera de la limusina y le indicó que entrara con una mano enguantada.

Recordándose que era una estrella, y no la clase de persona a quien intimidaría una conductora de limusinas (aunque aquella conductora fuera la mujer más alta que había visto en su vida), Cas mantuvo la cabeza alta y se subió con la misma seguridad que si viajara en limusina todos los días y Daisy fuera su chofer particular.

Solo después de acomodarse en el mullido asiento de terciopelo advirtió cuán violentamente le temblaban las manos. Tuvo que sentarse en ellas para que dejaran de hacerlo.

Varias horas transcurrieron en silencio sin que Cas pudiera ver apenas nada por las ventanillas empañadas. En líneas generales, sabía que estaban subiendo, pero la limusina giró tantas veces que se desorientó. Demasiado tarde, pensó en Hansel y Gretel y en cómo hay que dejar un rastro de migas de pan al internarse en un bosque.

Si nadie venía a buscarla, ¿cómo encontraría el camino de regreso?

Se obligó a mantener la calma, pero las dudas no cesaban de acosarla. Antes, había estado tan centrada en entrar en el Sol de Medianoche que no se había parado a pensar en lo que haría una vez dentro. Ahora que parecía estar a punto de lograrlo, se preguntaba cómo encontraría a Benjamin, y cómo lo sacaría de allí.

Bajo aquellas incógnitas, acechaban otras preguntas más siniestras: ¿Por qué se habían llevado a Benjamin el doctor L y la señora Mauvais? ¿Para qué lo querían?

¿Qué le había sucedido al hermano del mago, Luciano? ¿Lo encontraría también, prisionero aún después de tanto tiempo? Ahora ya sería un hombre anciano, lejana ya su época en el circo...

¿Y qué había del propio mago, Pietro? ¿Cuál era el terrible secreto que había descubierto? ¿Era ella lo bastante fuerte para afrontarlo si tenía que hacerlo?

Súbitamente, la limusina dobló un recodo y salió de las nubes.

Cas limpió el vaho de su ventanilla y miró afuera. Por encima de ella, el cielo estaba despejado y estrellado, lo cual ya no la hizo pensar en historias de terror sino, más bien, en ciencia ficción y viajes espaciales. Un cielo ideal para ver cometas o estudiar las constelaciones si Cas hubiera tenido tiempo y esa inclinación. (Por desgracia, no tenía ninguna de las dos cosas.) Lo único que Cas pudo distinguir de su ubicación era que se encontraban cerca de la cima de una montaña. Por debajo de ellas, un vasto manto de nubes, iluminado por la luna, se extendía hasta donde le alcanzaba la vista.

La limusina tomó otra curva muy cerrada y comenzó a descender hacia un pequeño valle escondido.

—Mira —le ordenó Daisy, quebrando el silencio.

Solo entonces advirtió Cas el cálido resplandor que bañaba el paisaje que las rodeaba. Alargando el cuello, alcanzó a ver el origen de aquel resplandor: una intensa luz dorada que asomaba por detrás de las montañas. Parecía un amanecer, pero no podía serlo; era casi medianoche.

DIECINUEVE

EL SOL DE MEDIANOCHE

Espero que no sea darte demasiadas pistas decirte que, solo dos días después, el Sol de Medianoche sería devorado por el fuego. Cómo y por qué se incendió, quién —de haber habido alguien— fue pasto de las llamas y si el aire estuvo o no impregnado de olor a azufre son preguntas que van a tener que esperar. Entretanto, el funesto destino del Sol de Medianoche me da libertad para describirlo en detalle. Como ya no existe, es imposible que lo encuentres, por muy buena que sea tu información.

Muchas asignaturas de las que estudias en la escuela resultan ser innecesarias en la vida: para las matemáticas, siempre hay una calculadora. Para la lengua, siempre hay un corrector. Para la historia, siempre está la enciclopedia. ¿Por qué habrías de retener tanta información en la cabeza cuando está almacenada justo delante de ti?

Pero hay una asignatura que resulta útil de vez en cuando.

Estoy pensando, naturalmente, en la egiptología.

Por nombrar solo un ejemplo: conocer a fondo el proceso de momificación es indispensable tanto si te estás deshaciendo de un enemigo como si estás conservando el cadáver de un amigo o simplemente vendando una herida en la cabeza.

Más relacionado con el tema que nos ocupa: si estás familiarizado con la distribución de los templos de Imperio Medio de Egipto (aproximadamente de 200 a 1600 a. C.), ya tienes una noción de cómo era el Sol de Medianoche. Concretamente, el balneario era una réplica casi exacta de un templo poco conocido dedicado al dios egipcio Tot, un templo construido sobre la tumba de un faraón anónimo y accesible únicamente tras un trayecto de tres días en camello por el desierto.

Lamentablemente, Cas ignoraba las sutilezas de la arquitectura egipcia. Sin embargo, sabía lo bastante para reconocer una pirámide cuando la veía. Al cruzar la enorme verja por la que se accedía al Sol de Medianoche, la luz la cegó momentáneamente, pero, en cuanto sus ojos se habituaron a ella, vio una pirámide de tamaño mediano (desde el punto de vista de los egipcios) situada en el mismo centro del balneario.

En lo alto de la pirámide había algo que habría dejado atónito incluso al egiptólogo más curtido. Era una lámpara, pero no una lámpara corriente. Era una esfera perfecta que no se parecía a nada tanto como a un sol naciente. En su interior, el fuego danzaba por todas partes, como si no estuviera alimentado por electricidad ni gas sino, más bien, por alguna fuente sobrenatural desconocida. Aunque parecía dorado a primera vista, mirarlo durante más rato revelaba un caleidoscopio de colores en las llamas.

Era aquella esfera la que Cas había visto antes asomando por detrás de las montañas. Ahora, cuando Daisy le abrió la puerta de la limusina, la esfera estaba tan próxima que tuvo que protegerse los ojos con la mano, pese a llevar gafas de sol. De haber cambiado súbitamente de idea y decidido salir huyendo, aquel brillo cegador la habría disuadido. Cualquiera que estuviera en los alrededores de la pirámide se podía divisar tan claramente como si lo apuntaran con un foco.

Aquello era igual que una cárcel, pensó Cas.

Una gran mano enguantada la ayudó a bajarse del vehículo. Cas supuso que pertenecía a Daisy hasta que alzó la vista y vio el bello rostro del doctor L sonriéndole, con los cabellos plateados brillándole de un modo poco natural a la luz de la esfera.

Cas sofocó un grito, estrujando la mochila contra su pecho. Aquel era el momento de la verdad: ¿La reconocería?

—Amber Escaleto, bienvenida al Sol de Medianoche. Soy el doctor L —le dijo con amabilidad, como si se estuvieran viendo por primera vez—. La señora Mauvais lamenta no poder venir a recibirte personalmente; es muy estricta con sus horas de sueño. Pero me ha pedido que te atienda en su lugar.

Cas asintió con la cabeza, demasiado apabullada para responder. La luz la estaba mareando. ¿O eran los nervios? A sus espaldas, la limusina se alejó sin hacer ruido; ya no había vuelta atrás.

—Sé que hay mucha luz, pero te acostumbrarás —dijo el doctor L, ladeando la cabeza en la dirección de la pirámide—. La esfera fue traída en barco desde Egipto hace muchos años, pero la llama del interior ya llevaba miles de años ardiendo antes de eso. Según la leyenda, se prendió cuando una bola de fuego cayó del sol.

—¿Como un meteoro? —consiguió preguntar Cas.

—Exactamente. Dado que la llama no se apaga nunca, la llamamos Sol de Medianoche, que es como un sol que nunca se pone. Pero debes de estar muy cansada.

Señaló a un joven pecoso con una túnica blanca, y con otro par de guantes blancos, que aguardaba en silencio junto a una mesa de piedra—. Este es Owen, tu mayordomo personal. Te acompañará a tu habitación.

—En-encantado de c-conocerla —tartamudeó Owen. Le sonrió tímidamente.

Con disimulo, Cas respiró aliviada. Owen, al menos, no era muy intimidante.

—Pero antes, una pequeña formalidad —dijo el doctor L. (Su acento identificablemente inidentificable fue especialmente marcado cuando pronunció la palabra «formalidad».)

—¿Necesita que pague? —preguntó Cas, lista para darle la tarjeta de crédito que su madre le había confiado.

El doctor L se rió entre dientes.

—Nos preocuparemos de eso más adelante. Es solo que tenemos que registrar el equipaje de todos nuestros clientes a su llegada.

—¿Quiere mirar en mi mochila? —preguntó Cas, alarmada.

—El Sol de Medianoche es un lugar de curación e insistimos en que nada contamine el ambiente. Azúcar. Comida basura. Armas de fuego. Esa clase de cosas.

De mala gana, Cas entregó su mochila a Owen, quien comenzó a sacar objetos para que el doctor L los inspeccionara. Cas rogó por que nada revelara su identidad.

—Veo que has venido preparada —dijo irónicamente el doctor L cuando Owen sacó la linterna, los prismáticos y otro material de supervivencia—. ¿Qué es eso? ¿Una manta de supervivencia? Creo que tendrás de sobras con la ropa de cama del balneario, pero nunca se sabe... Debo decir que pareces mucho más independiente que tus hermanas.

—¿Mis hermanas? O sea, ¿las conoce? —se corrigió Cas, ruborizada.

—Desde luego. Han estado aquí varias veces. La señora Mauvais les tiene mucho cariño. Pero eso ya debes de saberlo. El doctor L le sonrió insulsamente.

—Sí, claro —se apresuró a decir Cas, con las palmas sudándole—. Por eso estoy aquí.

—Normalmente, no animamos a nuestros clientes a traer material de acampada, pero esta noche haremos una excepción. —El doctor L hizo a Owen un gesto con la cabeza para que le devolviera la mochila.

—No obstante, me temo que voy a tener que pedirte el teléfono móvil —añadió—. Espero que aproveches la ocasión para disfrutar del silencio y la meditación.

Cas se quedó paralizada. Nunca había soportado el silencio y la meditación, pero ese no era el problema. Su teléfono era su único vínculo con el exterior. Si ocurría lo peor, podría al menos utilizarlo para enviar un mensaje a su madre. O una fotografía suya diciéndole adiós.

Estuvo a punto de decir que no había traído teléfono, pero se lo pensó mejor. ¿Qué hermana Escaleto que se preciara saldría de casa sin uno? El peligro de descubrir su tapadera era demasiado grande para arriesgarse.

Se metió la mano en el bolsillo y le dio el teléfono. «Adiós» pensó. Aunque no habría sabido decir si se estaba dirigiendo al teléfono, a su madre o al mundo entero.

Mientras Owen la conducía a su habitación, Cas intentó olvidar sus temores y concentrarse en su entorno. Vio que el Sol de Medianoche estaba distribuido alrededor de la pirámide en una serie de círculos concéntricos: una amplia piscina reflectante salpicada de nenúfares y flores de loto circundaba la pirámide; un patio de al menos un acre de superficie pavimentado con piedra arenisca circundaba la piscina reflectante; y una serie de bajos edificios de piedra con columnas en la fachada circundaba el patio. Plantas trepadoras en flor —jazmines, madreselvas y otras variedades más exóticas— se enroscaban alrededor de las columnas, impregnando el aire de su fragancia y confiriendo al Sol de Medianoche una apariencia aún más antigua, bonita y secreta.*

Aunque la esfera de la pirámide casi creaba el efecto de que era de día, la totalidad del Sol de Medianoche parecía estar durmiendo: era como cruzar un pueblo remoto a media tarde y descubrir que todos sus habitantes habían sido víctimas de un hechizo. Benjamin Blake estaba prisionero tras una de aquellas puertas, pensó Cas. ¿O lo tendrían bajo tierra en algún laberinto o mazmorra? A lo mejor estaba justo bajo sus pies en aquel mismo instante. Imaginó un oscuro pasillo bordeado de celdas, con Benjamin, Luciano y todos los demás niños robados por la señora Mauvais aferrados a los barrotes, suplicando ayuda.

* Digo «una *apariencia* aún más antigua, bonita y secreta» porque, en verdad, el Sol de Medianoche no era antiguo sino meramente viejo; lo que en él ocurría, como pronto verás, lo era todo menos bonito y, por último, ahora que estoy escribiendo sobre él, el Sol de Medianoche es un poco menos «secreto».

Antes de darse cuenta, había llegado a su nueva habitación y Owen le estaba dando las buenas noches.

—¿P-puedo t-traerle algo a-antes de irm-me?

Huelga decir que Cas no había tenido mayordomo en su vida. Jamás había visto uno hasta aquel instante, salvo en el cine o en televisión. Owen no se parecía en nada a un mayordomo de película. En primer lugar, no llevaba esmoquin. En segundo lugar, era demasiado joven. (Owen tenía esa edad que lo hacía mayor que un niño pero menor que un padre. Quizá la edad de un tío. O de un hermanastro del primer matrimonio del padre. Ya sabes, esa edad.) En tercer lugar, no tenía acento británico y ni siquiera hablaba correctamente. Pero eso solo le creaba aún más dudas acerca de cómo tratarlo.

—No quiero nada —dijo, haciendo todo lo posible por parecer una heredera mandona—. Ahora vete.

De inmediato, tuvo la sensación de haberse excedido. Si era demasiado grosera, podía predisponerlo en su contra.

—Es decir, si te parece bien —añadió en un tono más cordial—. Mis botas siguen empapadas y me muero por quitármelas.

Owen no pareció advertir su tono, ni en un sentido ni en otro.

—S-sabe, a-antig-guamente, o-obligaban a l-los c-clientes a d-dormir con l-los c-calcetines m-mojados.

—¿Con los calcetines mojados? ¿Por qué? —preguntó Cas, haciendo una mueca.

—C-cuando s-se t-tienen l-los p-pies f-fríos, la s-sangre c-circula p-para c-calent-tarlos. P-pero a-ahora t-tienen o-otras f-formas —dijo misteriosamente.

Antes de que Cas pudiera preguntarle a qué se refería, Owen se marchó.

Azulejos árabes, macetas con palmeras, una cama hecha para asemejarse a una tienda beduina y una ventana abovedada que daba a la pirámide: su habitación podría haber sido un dormitorio de un palacio de Guiza. En otro momento, en otras circunstancias, a Cas le habría encantado alojarse en una habitación como aquella. Ahora, solo podía contemplarla con horror. Era la primera habitación de hotel de su vida; no podía evitar temer que fuera la última.

Se tranquilizó diciéndose que su disfraz seguía intacto; si el doctor L la hubiera reconocido, no la habría recibido tan cortésmente. Pero fue inútil. Se quedó tendida en la cama, tensándose con cada sonido que oía: en su imaginación, el zumbido del filtro de la piscina era el borboteo del oro fundido, y el roce de las hojas señalaba la presencia de monos furiosos que habían venido a buscar a su prole.

Su idea era aguardar en su habitación hasta que todas las personas del balneario se hubieran acostado. Entonces, saldría sin hacer ruido y buscaría a Benjamin. Conforme transcurrieron las horas, fue posponiendo ese momento. Incluso después de que el brillo de la esfera hubiera comenzado por fin a menguar, se dijo que debía esperar un poco más, solo por seguridad.

Si alguna vez has dormido en un sitio que no sea tu propia casa, ya sabrás que a menudo cuesta conciliar el sueño en una cama desconocida. No obstante, es igual de difícil quedarte despierto después de haber tenido uno de los días más largos, atemorizantes y agotadores de tu vida.

Cas se quedó dormida.

Soñó que estaba viajando por Egipto, buscando un mítico cofre de oro enterrado.

Un guía con turbante, que curiosamente se parecía a su mayordomo Owen, la conducía al interior de una pirámide inmensa. Dentro, un oscuro túnel bajaba en espiral, estrechándose cada vez más e internándose bajo tierra. Cas tuvo que detenerse, ponerse a gatas, reptar sobre el estómago. Le costaba respirar. Quería dar media vuelta pero no podía. Sentía claustrofobia. Temía poder asfixiarse.

Entonces, por fin, los vio brillando delante de ella. Dos arcos de oro que formaban una gigantesca «M».

Los arcos dorados.

La cámara más recóndita de la pirámide era… ¿un McDonald's subterráneo?

Intentó decir a su guía que no, que aquello no podía ser. Ella no quería ir a un McDonald's. Para fabricar sus hamburguesas, McDonald's criaba y mataba tantas vacas que estas enfermaban y el suelo se destruía. Un suelo que debería haberse utilizado para cultivar cereales y alimentar a personas hambrientas. Era una emergencia medioambiental. Había tantos excrementos vacunos que el gas metano que generaban contaminaba el aire. Lo sabía todo al respecto por un documental que había visto con su madre.

Ojalá le devolvieran su teléfono móvil…

Ojalá pudiera llamar a su madre…

Ojalá…

«Por favor, déjame salir…»

«Por favor…»

Pero Owen, es decir su mayordomo, es decir su guía, no le hacía caso.

Las palabras mágicas habían perdido su poder.

VEINTE

Y AHORA VOLVAMOS A MAX-ERNEST...

El último médico que había consultado Max-Ernest, el que había analizado la obsesión de Cas por sobrevivir, también tenía una teoría con respecto a él: su teoría era que Max-Ernest hablaba para evitar sentir.

El médico le dijo que debería poner la atención en sentir. (Esto puede parecer una tontería, pero a algunas personas les cuesta mucho; sin ir más lejos, yo no tengo un sentimiento hondo desde hace años.) Para empezar, el médico le sugirió que intentara poner nombre a sus sentimientos en cuanto los percibiera. Luego, en vez de ahuyentarlos, podía intentar quedarse con ellos durante un rato.

Al principio, las sugerencias del médico habían desconcertado a Max-Ernest. Con tanto poner nombre y ahuyentar, creyó que estaba hablando de animales domésticos y no de emociones humanas. No obstante, después de hablar con Cas y enterarse de su viaje al balneario, decidió seguir el consejo del médico.

Con los ojos cerrados, se sentó en el suelo e intentó identificar sus sentimientos. Contó al menos cinco (amén del enfado que ya tenía con Cas, lo cual hacía seis):

Estaba *impresionado* por la osadía de su plan.

Estaba *herido* por que no lo hubiera incluido.

Estaba *molesto* por tener que mentir por ella de todas formas.

Estaba *celoso* por que ella fuera a vivir toda la emoción.

Y estaba *preocupado* por que la señora Mauvais descubriera su identidad.

«Sé que ya no somos colaboradores, pero quería que alguien supiera que me iba al Sol de Medianoche, por si descubren quién soy y ya no vuelvo —había dicho Cas, como justificación de su llamada—. Si me matan o algo, di a mi madre que no se enfade con mis abuelos. Ellos no saben que voy. Así que, si me muero, no será culpa suya.»

Solo después de pasarse varias horas reflexionando sobre la conversación se le ocurrió a que, ahora que sabía que Cas iba al Sol de Medianoche, él tendría la culpa si algo le sucedía.

No supo decir si aquello lo hacía sentirse *culpable* por no hacer nada para detenerla o *enfadado* con ella por ponerlo en tan difícil situación.

Pensó en llamarla para explicarle todo lo que sentía. Tenía su número introducido en su teléfono móvil. Podía llamarla con tan solo pulsar un botón. Pero no lo hizo.

Se quedó mirando el número, dándose súbitamente cuenta de lo que aquello significaba: el número de Cas debía de haber aparecido también en el teléfono del balneario.

Lo cual significaba que la señora Mauvais debía de saber que quien había llamado era Casandra y no una hermana Escaleto.

Y, aun así, había dejado que Casandra se inscribiera con el apellido Escaleto.

Era una trampa. Tenía que serlo.

Rápidamente, llamó al teléfono móvil de Cas, pero no obtuvo respuesta.

Lo intentó otra vez.

Y otra.

Cuando Casandra seguía sin contestar después de haberla llamado diez veces, una emoción completamente distinta se apoderó de Max-Ernest: el *miedo.*

VEINTIUNO
LOS TRATAMIENTOS

Cuando Cas despertó estaba amaneciendo.

Se irguió rápidamente en la cama, furiosa consigo misma. ¡Había transcurrido una noche entera y ni siquiera había empezado a buscar a Benjamin Blake!

Con prisas, se calzó las botas aún húmedas —había dormido con la ropa puesta— y se dirigió a la puerta. Solo esperaba poder echar un buen vistazo al balneario antes de que todo el mundo estuviera despierto.

Entonces oyó unos golpecitos educados pero persistentes en la ventana. Por un momento, pensó llevada por un ataque de optimismo, que podía ser el propio Benjamin, intentando ponerse en contacto con ella en secreto.

Pero solo era su mayordomo.

Owen entró, inclinándose ligeramente y llevando una bandeja con un vaso que contenía un burbujeante líquido de un intenso color verde.

Dio los «b-buenos d-días» a Cas —o, mejor dicho, a la señorita Escaleto, como continuaba llamándola— y dejó la bandeja en la mesa delante de ella.

—¿Qué es eso? —preguntó Cas—. ¿Un batido?

—E-es u-un e-l-lixir. L-la s-señora M-mauvais p-pide que ha-hagan uno e-especial-l-mente p-para c-cada c-cliente. No s-sé p-por qué es v-verde el s-tuyo. El de s-tus herm-manas s-siempre es r-rosa.

Esta vez, Cas no hizo una mueca ante la mención de sus presuntas hermanas. En vez de eso, se ocupó en estudiar la bebida. Había motas brillantes flotando entre las burbujas.

—¿Es oro? —preguntó.

Owen asintió con la cabeza.

—L-la s-señora M-mauvais d-dice q-que el o-ro a-ala-arga l-la vida. N-nunca s-se e-estropea.

Lo último que Cas quería hacer era beberse algo ideado por la señora Mauvais, pero Owen la estaba mirando, por lo que se tomó un tímido sorbo. El elixir tenía un sabor vigorizante y se le subió un poco a la cabeza. Le pareció detectar un tenue sabor metálico, pero no estaba segura de que fuera oro.

De cualquier modo, no le pareció que el elixir fuera venenoso.

—¿Q-quiere a-algo m-más p-para d-desayu-unar?

Cas negó con la cabeza. No quería que Owen regresara y volviera a interrumpirla.

—B-bueno, si n-no t-tiene hamb-bre, es ho-hora de s-tu p-primer t-tratamiento —dijo—. Hay un a-albo-ornoz y un b-bañador en su a-armario. Yo l-le e-espero f-fuera.

Cas refunfuñó para sus adentros. Aquello no le gustaba en lo más mínimo. ¿Cómo iba a investigar si él la estaba esperando en la puerta? Además, confiaba en poder eludir los tratamientos. Aunque no tuvieran nada que ver con oro fundido ni sangre de mono.

Tenía que pensar deprisa.

—¿Sabes qué? He cambiado de opinión. ¿Tenéis gofres?

Owen asintió con la cabeza.

—¿I-integ-grales, s-sin g-gluten, s-sin l-lácteos o t-trad-dicio-onales?

—Tradicionales, supongo.

—¿C-con m-miel de l-lavanda, a-azúcar m-moreno de c-caña o j-jarabe de a-arce ex-tra v-virgen?

—Jarabe de arce. Y mucha mantequilla, derretida —dijo Cas para hacerlo callar antes de que le ofreciera más posibilidades—. Y sin nada de azúcar en polvo —añadió automáticamente, porque así era cómo siempre pedía los gofres.

—S-sin a-azúcar en p-polvo. E-en-s-seguida, s-señorita E-esc-caleto.

Owen se inclinó y salió en busca de su desayuno.

Cas volvió a recostarse en su almohada preguntándose si debía volver a llamarlo para pedirle que le trajera huevos. O quizá una taza de chocolate.

Luego recordó que, de hecho, no iba a desayunar.

Es curioso lo fácil que resulta acostumbrarse a tener un sirviente. Incluso en el caso de una auténtica superviviente como Cas.

Después de esperar dos minutos, Cas salió de la habitación haciendo el menor ruido posible. No había nadie a la vista; era un momento ideal para buscar a Benjamin. ¿Por dónde debía empezar? ¿Por las otras habitaciones?

Antes de que tuviera tiempo de considerarlo, Owen ya estaba de vuelta.

—¿Ha-ha v-vuelt-to a c-cambiar de o-opinión? S-solo v-venía a v-ver si q-quería f-fresas sil-v-vestres o a-arándanos b-bio-l-lógicos. P-pero s-si q-quiere s-salt-tarse el g-gofre y e-empezar d-direc-t-tamente con los t-tratam-mientos, su b-baño d-de o-ro está l-listo.

«¡Baño de oro!»

Owen lo dijo con tanta impasibilidad que era imposible que fuera una mortífera caldera de oro fundido. ¿O sí? Los empleados del Sol de Medianoche quizá estuvieran tan habituados a ver cómo hervían a los niños vivos que eso los dejaba impertérritos. (¿Conoces las palabras «impasibilidad» e «impertérrito»? Son dos de mis palabras preferidas en una crisis. Si no sabes qué significan, te aconsejaría que las busques en un diccionario ahora mismo, pero asegúrate de no parecer demasiado nervioso cuando lo hagas.)

Cas decidió que lo más prudente sería seguir la corriente al mayordomo y escapar a la primera ocasión.

—Sí, supongo que, finalmente, no tengo hambre —dijo, intentando aparentar la misma impasibilidad. (¡Ya te he dicho que lo buscaras en el diccionario!).

Por el camino, Owen le advirtió que debía respetar la «i-intimmidad de l-las p-personas c-con q-quienes se e-encont-trara».

—E-en el S-sol de M-edia-n-noche, los c-clientes s-solo c-conversan d-durante l-las c-comidas. N-normas de l-la s-señora M-mauvais.

No hacía falta que Owen la avisara, porque Cas solo vio unos pocos clientes, y únicamente de lejos. Aun así, estaba lo bastante cerca para hacerse una idea general. Al igual que el doctor L y la señora Mauvais, al igual que todos los empleados del Sol de Medianoche, los clientes del balneario tenían la piel tersa, bronceada y perfecta. Cas los odió nada más verlos.

Ah, una cosa más: todos llevaban guantes. Hasta el hombre que nadaba en la piscina.

—Oye, Owen —dijo Cas, haciendo aún todo lo posible por seguir impertérrita (¡!)—. ¿Para qué son esos guantes? ¿Por qué los lleva todo el mundo?

Pero Owen no la oyó. Al menos, pareció no hacerlo. Y ella no tuvo el valor de preguntárselo por segunda vez.

Un misterio se aclaró enseguida: el baño de oro no era un baño de oro fundido; solo era un baño de barro, con pedacitos de oro como los que Cas había encontrado en su elixir verde. ¿Has visto alguna vez oro de los tontos? ¿El oro que se encuentra cribando la arena del lecho de un río? El oro del baño de oro se parecía a ese.

Por cierto, ¿te has dado alguna vez un baño de barro? Puedes encontrarlo decepcionante. A Cas le ocurrió.

Ella siempre se había imaginado que un baño de barro sería suave, cremoso y parecido al chocolate, como un baño en la fábrica de chocolate de Willy Wonka. En cambio, el barro de su baño de barro se parecía más al lodo. Era áspero, grumoso y pegajoso y estaba lleno de cosas diminutas que no podía identificar y se le metían en donde no quería. Además, de vez en cuando, una gran burbuja ascendía a la superficie y reventaba, impregnando el aire de un hedor gaseoso. Cuando salió, estaba tan aliviada de haber terminado que casi le dio lo mismo que Owen hubiera vuelto a aparecer, impidiéndole una vez más ir en busca de Benjamin.

Owen le prometió que los próximos tratamientos iban a ser menos pringosos y considerablemente más agradables. Cada uno de ellos, explicó, estaba concebido para estimular uno de los cinco sentidos.

—¿Es por eso por lo que se llama «sensorio»?

Owen asintió con la cabeza.

—L-la s-señora M-Mauvais d-dice q-que el o-objet-tivo es c-conseguir q-que l-los s-sentidos v-vuelvan a e-estar en a-armonía e-entre e-ellos.

—¿Como en la sinestesia? —preguntó Cas, antes de darse cuenta de que podía haberse descubierto. (Al fin y al cabo, ¿cuántos niños sabían qué era la sinestesia?)

Owen la miró sorprendido.

—S-sí, e-so e-es.

La condujo a una espaciosa sala con un techo abovedado de cristal tallado a través del cual la luz se refractaba formando un dibujo irisado siempre cambiante. Cas, recordando la guía de su madre, pensó que podía ser un solario. Pero esta vez no preguntó, pues no quería levantar más sospechas de las que había levantado ya.* En vez de eso, se tendió obedientemente boca abajo en una camilla acolchada, metiendo la nariz por un agujero que al parecer estaba concebido para ese propósito. Por encima de ella, percibía la cálida luz solar atravesando el cristal, aunque no estaba segura de si notaba el sol verdadero, el Sol de Medianoche o ambos. Una suave brisa agitó las vaporosas cortinas de seda que habían colgado del te-

* Resulta que tenía razón: era un solario, aunque distinto a todos los demás.

cho para procurar intimidad. Se sentía casi como si estuviera al aire libre, pero en ningún lugar de la Tierra.

Un grupo de casi una docena de mujeres vestidas de blanco se congregó silenciosamente a su alrededor, entrando y saliendo, desapareciendo detrás de las cortinas de seda solo para reaparecer con nuevos frascos y campanillas, aceites y ungüentos. Caminaron por la sala impregnándola de fragancias (Cas, que había practicado con la Sinfonía de Olores, identificó el olor a pino, azahar, lavanda e incluso *shiitake,* la seta japonesa). Luego, se pusieron a andar en círculo, haciendo extraños sonidos con pequeños gongos y diapasones (alguien describió las vibraciones sonoras como «acupuntura sin agujas», y lo cierto fue que Cas notó pinchazos en la piel; pero no supo si se los causaban las vibraciones o su propio nerviosismo).

Después de los olores y los sonidos vino el tacto.

Con los ojos cerrados, Cas cobró conciencia de nuevas sensaciones en todos los extremos de su cuerpo: le rascaron el cuero cabelludo y le frotaron las plantas de los pies. Le amasaron las palmas de las manos y le tiraron de los dedos. Le masajearon las sienes y le acariciaron las mejillas. Le tiraron de los lóbulos de las orejas y le retorcieron la nariz. Le hicieron torsiones de brazos y le sacudieron las piernas. Le rotaron los tobillos y le hicieron crujir los nudillos de los dedos de los pies. La empujaron, manosearon, frotaron y zarandearon. Hasta que perdió la noción de quién era quién, qué era qué y dónde era dónde.

Estaba flotando al borde de la inconsciencia cuando oyó la voz del doctor L detrás de ella.

—Hola, Amber Escaleto. Espero que estés disfrutando de tus tratamientos —dijo en su voz definidamente indefinida—. No, por favor, no abras los ojos. En vez de eso, deja que te sugiera una serie de imágenes. Muchos pacientes opinan que eso les ayuda a relajarse...

Cas notó cómo se acercaba; era insoportable, como un picor. Se moría por levantarse, pero sabía que debía quedarse quieta si no quería levantar sospechas.

El doctor L comenzó a murmurarle al oído.

—Piensa en la luz del Sol de Medianoche acariciándote la espalda... Es cálida... luminosa... acogedora... ¿La notas...? Bien... Ahora, imagínate elevándote lentamente hacia esa luz... Eres como una mota de polvo en un rayo de sol... Eso es, elevándote... elevándote con suavidad...

Cas se ordenó no escuchar; lo importante era mantenerse totalmente alerta. Pero había algo inmensamente atractivo en la voz del doctor L. Sus palabras se le colaban en la consciencia sin hallar resistencia, como si fueran sus propios pensamientos.

—Todas las preocupaciones que traes —continuó el doctor— déjalas ir... Tus miedos de que haya crímenes, catástrofes y emergencias se están alejando... han desaparecido... desaparecido... Aquí no necesitas prepararte para nada. Nosotros nos estamos ocupando de todo... Estás segura. Totalmente segura. Repitamos esa palabra, ¿de acuerdo? Segura... Segura... Segura...

Cas se descubrió repitiendo la palabra casi sin querer.

«Segura... Segura... Segura...»

—Bien... Bien... Ahora, voy a hacerte una pregunta que hacemos a todos nuestros pacientes, para poder ayudarlos mejor. Y quiero que me respondas con toda sinceridad. ¿Puedes hacerlo?

Cas mascullo un «sí».

—Perfecto... La pregunta es: ¿Cuál es la verdadera razón de que estés aquí?

VEINTIDÓS

ATRAPADA

Cas abrió bruscamente los ojos. Seguía en la camilla de masajes, pero no estaba segura de cuánto tiempo había transcurrido.

¿Qué había sucedido? ¿La habían hipnotizado?

¿Qué había explicado al doctor L? ¿Le había dicho quién era?

Alarmada, se incorporó y miró a su alrededor. Parecía que estaba sola.

No, allí estaba Owen, entrando en la sala. ¿Es que tenía un sexto sentido?

El mayordomo la saludó como si nada hubiera cambiado. Después de todo, Cas no debía de haberse descubierto.

Sintió tanto alivio que estuvo a punto de reírse a carcajadas.

Para entonces, había visto casi todo el balneario, con una excepción significativa.

Cuando se hubo vestido, preguntó a Owen qué había dentro de la pirámide.

—N-nada —se apresuró a responder él—. S-solo hay un m-montón de p-piedras. Yo n-no ent-t-traría.

Cas se encogió sumisamente de hombros. Pero, por supuesto, la respuesta de Owen solo había aumentado su curiosidad. Y esta vez, se prometió, no iba a permitir que su plan se desbaratara tan fácilmente.

Bostezando, dijo a Owen que estaba cansada después de todos sus tratamientos (lo cual era cierto) y que necesitaba descansar (lo cual también era cierto). Añadió que sabía regresar a su habitación sin él (también cierto). ¿Por qué no se tomaba un descanso y venía a buscarla después? Iba a echarse una siesta (falso):

—N-no s-sé. N-no d-debería...

—Eres mi mayordomo, ¿no? ¿No deberías hacer todo lo que yo te diga?

Él asintió con la cabeza.

—Pues entonces te ordeno que vayas a relajarte.

—P-pero, s-si v-voy a r-relajarme, n-no estaré p-para s-servirte, ¿n-no?

Cas lo miró para ver si hablaba en serio; Owen sonrió.

Se rieron los dos. Y, de pronto, Cas sintió que no solo tenía un mayordomo, sino también un amigo.

Estuvo a punto de contarle por qué había ido al balneario. ¿Sabía él cómo eran el doctor L y la señora Mauvais? ¿Podía ser tan malvado como ellos? Cas creía que no, pero decidió que era mejor no arriesgarse a decir nada.

Para regresar a su habitación tenía que pasar por las piscinas de aguas termales, por lo que tomó esa dirección, por si

Owen la estaba observando. Pensaba cambiar de rumbo en cuanto quedara oculta por el vapor.

Cuando estaba a punto de desviarse hacia la pirámide, oyó un fuerte suspiro y casi resbaló por las losas mojadas.

Miró la piscina que tenía delante. Había una mujer flotando boca arriba. Su rosada cara redonda entraba y salía del agua burbujeante como si se estuviera cociendo a fuego lento en una gigantesca olla de sopa.

Era Gloria Fortune, la agente inmobiliaria de los muertos.

¿Qué estaba haciendo allí?

Antes, Cas había temido que Gloria pudiera haberse reunido con sus clientes en la otra vida; pero, dadas las circunstancias, tropezarse con ella viva fue casi más alarmante que hacerlo con un cadáver.

Si Gloria la reconocía, todo habría terminado.

Por suerte, Gloria tenía los ojos cerrados. Cas se alejó tan rápida y silenciosamente como pudo.

No había tiempo que perder. En cualquier momento, Gloria podía volver a aparecer, esta vez con los ojos abiertos, e identificarla. Tenía que encontrar a Benjamin y salir del balneario enseguida.

La noche anterior, la esfera de la pirámide había brillado con tanta intensidad que podría haber sido de día. Ahora, por la tarde, su resplandor apenas era una llama vacilante y el balneario estaba sumido en sombras, tan oscuro que podría haber sido de noche. Era como si el balneario existiera en su propia franja horaria alternativa, desafiando las leyes del universo físico.

Las sombras permitieron a Cas atravesar el patio con relativa seguridad. No obstante, cuando llegó a la piscina reflectante que circundaba la pirámide, estuvo más expuesta. La piscina reflectante, ahora se daba cuenta, no era una piscina, sino un foso. Y el puente levadizo estaba levantado, lo que impedía la entrada a la pirámide.

Su única esperanza de poder entrar residía en encontrar un pasadizo subterráneo. ¿Dónde desembocaría el pasadizo? Desde la parte trasera de la pirámide, trazó una línea imaginaria hasta el edificio más próximo y señaló el punto con más probabilidades de ocultar una entrada al subsuelo.

El edificio resultó ser uno de los pocos en los que Cas no había entrado todavía. Como el resto, estaba distribuido alrededor de un pasillo central que lo cruzaba de un extremo a otro. No obstante, el ambiente era allí sutilmente más lujoso. Una alfombra larga y estrecha con suntuosos bordados, como la que se podría encontrar en un salón del trono, cubría el suelo de piedra; aunque intimidaba pisarla, permitió a Cas recorrer todo el pasillo sin hacer ruido. Debió de pasar por delante de media docena de puertas, todas cerradas y pintadas de color azul marino, antes de ver la que quería. A diferencia de las otras, estaba revestida de pan de oro y la habían dejado ligeramente abierta.

Cas pegó la oreja a la puerta, pero no oyó nada.

¿Se atrevía? Debía hacerlo. Probablemente era su única oportunidad.

Abrió la puerta. Luego, retrocedió un paso, asustada. Detrás de la puerta, la habitación estaba ocupada por centenares de personas.

¿O no?

Volvió a mirar. La habitación estaba vacía, salvo por los centenares de reflejos suyos.

Entró con nerviosismo.

Había espejos en todas las paredes y el techo, creando la ilusión de un espacio que se extendía hasta el infinito. Incluso el suelo de mármol estaba pulido para reflejar la luz. Una gigantesca araña de luces con aspecto de pulpo —los abuelos de Cas la habrían identificado como cristal veneciano— colgaba del techo y se reflejaba en los numerosos espejos, con lo cual parecía replicarse en todas las direcciones. Un largo sofá sin respaldo tapizado de seda dorada —los abuelos de Cas lo habrían llamado meridiana y se habrían fijado en que era de estilo napoleónico— y un pequeño escritorio chapado en plata completaban el conjunto.

Cas reconoció inmediatamente la habitación como lo que era: el despacho de la señora Mauvais. Frío pero engañosamente glamoroso, como su ocupante. Era fácil imaginársela sentada durante horas en la meridiana, mirándose en un espejo tras otro tras otro tras otro…

Sin embargo, nuestra joven heroína no tenía tiempo para quedarse allí ni un solo instante. Cruzó el suelo de mármol de puntillas, inspeccionándolo en busca de grietas o junturas —se le ocurrió pensar que podía haber una trampilla en el suelo— hasta estar justo delante de una de las paredes, sorprendida, una vez más, de su propio reflejo. Multiplicadas hasta el infinito, observó que sus orejas parecían cada vez más grandes.

—¿Me estabas buscando, Amber Escaleto?

Un conocido escalofrío le recorrió el espinazo cuando el reflejo o, mejor, los reflejos de la señora Mauvais aparecieron junto al suyo.

Estaba atrapada: ¿qué debía hacer? ¿Qué podía hacer?

Se volvió con lentitud. Casi esperó no encontrar a nadie, que la escultural mujer rubia del espejo solo fuera un espejismo. Pero era bien real, y tan falsa como siempre.

—Soy la señora Mauvais. Disculpa que no me haya presentado antes. Espero que el Sol de Medianoche sea todo lo que esperabas.

Cas hizo una mueca involuntaria y el corazón se le desbocó. Se ordenó decir algo, lo que fuera, pero no logró articular ni una sola palabra.

—¿Sabes?, no he podido evitar fijarme en cómo te estabas mirando hace un momento —continuó su anfitriona—. Naturalmente, ofrecemos tratamientos estéticos, pero creíamos que tú eras más bien natural... Déjame ver. —Alzó la cabeza de su joven clienta con una mano enguantada, examinándola desde todos los ángulos—. Si quieres, podemos hacer algo.

—¿Hacer algo con qué? —preguntó Cas, recobrando por fin la voz.

—Con tus orejas. Podemos arreglártelas.

—¿Mis orejas? —Tal vez, pensó Cas, si hablaban de sus orejas, la señora Mauvais no volvería a preguntarle qué hacía en su despacho.

—Sí, me ha parecido que te causaban problemas. Están bastante separadas...

—¿Qué quiere decir? ¿Qué harían para arreglármelas? —Cas intentó apartar suavemente la cabeza, pero la señora Mauvais no se lo permitió.

—Entre sus muchos talentos, el doctor L es un magnífico cirujano plástico...

—¿Quiere decir que me las operarían? —preguntó Cas obviamente horrorizada, recordando demasiado tarde que una hermana Escaleto quizá tuviera una reacción distinta ante la perspectiva de una operación de cirugía estética.

—El maquillaje no hace milagros —observó la señora Mauvais, soltándole por fin la cabeza—. No te preocupes. El doctor L tiene muy buena mano. Nunca deja cicatrices. Es un artista... Mira, ¿qué te parecen las mías?

Se levantó la cabellera rubia y ladeó la cabeza, destapándose las orejas para que Cas pudiera examinarlas.

—Trabaja en ellas todos los años. Son como una escultura que nunca está terminada del todo. Dice que no habrá acabado hasta que yo tenga las orejas más exquisitas del mundo.

Por el modo como había dicho aquello, Cas supo que la señora Mauvais ya pensaba que sus orejas eran especiales. En verdad, Cas no recordaba haber visto nunca ninguna que fuera tan perfecta.

—Solo piensa en lo que podríamos hacer con una niña tan guapa como tú.

¿Debía operarse las orejas? Cas jamás se lo había planteado. Pero la idea de que no se rieran más de ella era muy atractiva. Y la señora Mauvais hacía que pareciera facilísimo.

—Tu madre no tiene las orejas como tú, ¿verdad? ¿No te gustaría parecerte más a ella?

—¿Cómo lo sabe? No la conoce, ¿no? —preguntó Cas, sin estar segura de si en ese momento estaban hablando de la madre de las hermanas Escaleto o de la suya.

—No, claro que no —dijo la señora Mauvais, riéndose—. Solo he pensado... Bueno, se ha casado, ¿no? ¿Y qué hombre se casaría con una mujer que tiene unas orejas como las tuyas?

De pronto, Cas notó que se ruborizaba, consumida por la vergüenza, la ira y un odio profundo. Estaba segura de que las orejas no se le habían puesto nunca tan rojas. Pero la señora Mauvais pareció no darse cuenta.

—Bueno, no tienes que decidirte ahora. Ven. —La cogió del brazo, impidiéndole siquiera pensar en buscar a Benjamin—. Ya casi es hora de cenar. Y esta noche tenemos un invitado sorpresa.

VEINTITRÉS
UN INVITADO SORPRESA

¿Quién era el invitado sorpresa de la señora Mauvais?

Adivina.

Te daré una pista: no era Gloria. De todos modos, como sorpresa, ya se había estropeado.

He aquí otra idea: ¿Y si el invitado sorpresa fuera una de las hermanas Escaleto auténticas? Es bien plausible. Al fin y al cabo, las hermanas Escaleto ya habían ido varias veces al Sol de Medianoche. O eso decía el doctor L.

Las consiguientes complicaciones serían sin duda muy entretenidas. Me lo puedo imaginar: la señora Mauvais diciendo a Cas: «Mira quién ha venido. ¡Es tu hermana!»; Cas empezando a decir que no tenía hermanas y acordándose luego de quién se suponía que era. Y la hermana Escaleto auténtica desconcertada, preguntando qué estaba ocurriendo.

Cas tendría que pensar muy deprisa para evitar que la tacharan de impostora. Podría aducir que, de hecho, era una hermanastra secreta de las hermanas Escaleto y que ni tan siquiera ellas lo sabían. O podría alegar que su hermana la conocía pero había tenido un accidente y ahora sufría amnesia.

A lo mejor tenía tanto éxito con su estratagema que lograba convencer a la hermana Escaleto de que eran realmente hermanas. ¡Eso sí que sería una bomba!

Por desgracia, el invitado sorpresa de la señora Mauvais no era una hermana Escaleto. Era alguien menos sorprendente, al menos si has estado siguiendo este relato.

Menos sorprendente. Pero más gratificante, espero.

Para la cena habían erigido una ostentosa tienda con forma de castillo. Tenía tres habitaciones en total y Cas no vio al niño con los pelos de punta que estaba sentado en un cojín en un rincón hasta que la señora Mauvais la condujo a la tercera.

Sí, has acertado, el invitado sorpresa era el mismísimo Max-Ernest y Cas, sin ir más lejos, se sintió extremadamente agradecida cuando lo vio.

Pasado ya su enfado con él, fue consciente de lo sola y asustada que se había sentido desde que su colaboración había concluido. Si la señora Mauvais no hubiera estado tan cerca, quizá habría corrido a abrazar al amigo que hacía tanto que no veía. (Bueno, conociendo a Cas, no abrazaría a Max-Ernest en ninguna circunstancia, pero así era más o menos como se sentía.) Tal como estaban las cosas, le dio miedo incluso saludarlo. No quería que la señora Mauvais supiera que lo reconocía.

Además, Max-Ernest estaba inusitadamente callado. Cuando Cas se arrellanó en el cojín contiguo al suyo, él le dedicó una de esas rápidas sonrisas intencionadamente falsas que parece que estén hechas tirando hacia arriba de las comisuras de la boca. Parecía nervioso, aunque era lógico, pensó Cas.

¿Pero qué hacía allí? ¿Cómo había entrado?

De pronto, el pánico le atenazó el estómago hasta indisponerla.

—¿Sorprendida, Amber Escaleto? ¿O debería decir Casandra? —preguntó la señora Mauvais.

—¿Qui-quién es Casandra? —farfulló Cas.

—Oh, no seas tonta. ¿De veras creías que éramos tan fáciles de engañar? —dijo jovialmente la señora Mauvais—. Lo sé, debería haberte dicho algo cuando llamaste. Pero no quería ahuyentarte. Me temo que empezamos con mal pie la primera vez que nos vimos. Por favor, ¿me permites que ahora te lo compense?

Cas se obligó a asentir con la cabeza. Apenas podía mantenerse erguida de lo mareada que estaba.

La señora Mauvais sonrió alegremente, si acaso aquello podía llamarse sonrisa. (La cara apenas se le movió, pero enseñó una pizca más de su dentadura excesivamente blanca.)

—¡Gracias por darme una segunda oportunidad! Deseo tanto que seamos amigas.

Cas intentó devolverle la sonrisa, pero no pudo. Le daba miedo vomitar.

—¡Bien! Voy a buscar al resto —dijo la señora Mauvais—. Estoy segura de que tendréis muchas cosas que contaros.

Puso la mano en la cabeza de Max-Ernest y lo despeinó.

—¿Has visto alguna vez a un jovencito tan guapo? —preguntó. Luego, se inclinó y besó a Max-Ernest en la frente—. Vuelvo enseguida, cielo, te lo prometo.

Se alejó, dejando una marca de carmín en la cara de Max-Ernest. Y una expresión de hondo desconcierto en la de Cas.

Antes de que Cas pudiera asimilar todo el horror de lo que acababa de presenciar, Max-Ernest se puso a hablar a toda velocidad. Cas jamás lo había visto tan alterado.

—No te preocupes. No es mi novia ni nada. Es solo que ella es así, besucona y eso. Da un poco de vergüenza, pero es encantadora, una vez la conoces. En serio, sé que va a caerte bien. ¡Es incluso más encantadora que Amber! El doctor L también es bastante agradable. Dice que va a curarme. Utilizan un antiguo método egipcio. Técnicamente, es una lobotomía, pero no quirúrgica. En vez de abrirte la cabeza, entran por la nariz con una pajita muy larga. Y como en el cerebro no hay sensibilidad, ¡casi no duele! ¿Qué te parece? Después, la señora Mauvais va a llevarme a París. Ella es de allí. Estoy seguro de que tú también podrías venir, si se lo pidieras. Hará todo lo que yo quiera. ¿Qué me dices, quieres ir a París?

Cas se quedó mirándolo fijamente, sin parpadear. Pensó que a lo mejor la habían drogado y estaba teniendo una alucinación. Eso explicaría las náuseas.

Max-Ernest la miró con expectación.

—Bueno, ¿no vas a decir nada?

—¿Te han hipnotizado? ¿Por eso actúas así? —preguntó Cas, dándose finalmente cuenta de que, por desgracia, tenía la cabeza totalmente clara—. Porque eso espero, por tu bien.

—¿Qué quieres decir? ¿Actuar cómo?

—No importa —dijo Cas, suspirando—. ¿Cómo has entrado?

—He hecho una reserva. Como tú.

—¿Has hecho una reserva? —repitió Cas—. ¿Y te han aceptado? ¿Qué les has dicho?

Max-Ernest se removió en su cojín.

—Bueno, en realidad nada, solo…

A Cas se le ocurrió una idea horrible.

—¿Les has dicho que tenías el cuaderno?

—¡Aún lo tengo! No se lo he dado todavía —dijo Max-Ernest a la defensiva—. Pero, de todas formas, no importa. Ellos no son quienes tú crees que…

—¿Que no importa? ¿Te has olvidado por completo de Pietro? ¿De Luciano? ¿De Benjamin?

—Venga, Cas. Sé lo que crees, pero piénsalo. ¿Te han hecho algo malo? Desde que estás aquí, quiero decir.

—Bueno, aún no, pero…

—Y sabían quién eras desde el principio, ¿no?

—Sí, supongo…

—¿Lo ves? ¿Qué te parece? Después de todo, no son malos… ¿Sabes?, no pasa nada por equivocarse de vez en cuando. Todo el mundo lo hace. Hasta yo.

Cas negó con la cabeza.

—¡Ahora sí estoy segura de que te han hipnotizado!

Antes de que la cuestión se pudiera resolver en un sentido o en el otro, Gloria entró en la tienda, sonriendo de oreja a oreja. (Fíjate en que no he dicho que no iba a estar en la cena, solo que ella no era el invitado sorpresa.)

—¡Cas! —exclamó la agente inmobiliaria—. ¿No vas a saludar a tu vieja amiga Gloria? ¿O es que no me reconoces? Lo sé, parece que me hayan quitado veinte años, ¿verdad? ¡Y veinte kilos!

Gloria giró sobre sí misma para que Cas pudiera verla desde todos los ángulos.

Cas asintió con la cabeza. No cabía duda de que Gloria era la mitad que antes. Más extraordinaria aún era la simpatía con que se comportaba. Cas no estaba segura de si Gloria no le había gustado más en su encarnación anterior más malhumorada. Ahora era más difícil de ignorar.

—¿Nos os parece fabulosísimo este lugar? —continuó Gloria—. Cierto que el ambiente egipcio puede ser un poco exótico para algunos. ¡Pero la ubicación! Como dicen en mi oficio, ¡el sitio lo es todo! ¡Y los tratamientos! ¡Divinos! Y no me hagáis hablar de los elixires. ¿Has probado alguna vez algo más delicioso en tu vida?

Se quedó un momento callada para que Cas asintiera con la cabeza. Luego prosiguió:

—¿Te acuerdas de aquel feliz día en que nos conocimos todos? Bueno, el doctor L me dio a probar un sorbito después. Y yo me enganché. Quise más al día siguiente. ¡Más, más, más! Él dijo que era demasiado pronto, pero yo no acepté un no por respuesta. Lo seguí hasta el balneario para conseguirlo. ¡Y me alegro de haberlo hecho! ¡Aquí hacen milagros!

—Los milagros tienen muy poco que ver con lo que hacemos aquí, señora Fortune.

Era el doctor L, que acababa de entrar en la tienda. Parecía tan tranquilo y calmado como siempre, aunque un poco irritado por Gloria.

La agente inmobiliaria hizo un mohín como una colegiala reprendida.

—Disculpe, doctor. Su pequeña Gloria le está tan agradecida por todo lo que ha hecho. Por todo lo que hace…

—Todo lo que hacemos aquí se basa en la ciencia —dijo tajantemente el doctor L—. Quizá no en lo que ustedes entienden por ciencia. Sino en la Ciencia Verdadera. La única.

—¿Qué clase de ciencia es esa? —preguntó Max-Ernest, que tenía la impresión de conocer ya todas las clases de ciencias que existían.

—La ciencia de la esencia. La ciencia de la que todas las demás son parte —respondió el doctor L—. Todo en la Tierra emana de la misma sustancia esencial. Una vez se encuentra, todo es posible. Convertir el plomo en oro. Lo viejo en joven. Incluso convertir agentes inmobiliarias poco atractivas en mujeres hermosas.

Cas miró involuntariamente a Gloria, pero ella no pareció captar el insulto; no cabía duda de que estaba perdidamente enamorada del doctor L.

—¡Es maravilloso! —dijo—. ¿Cómo se llama esa ciencia? ¿Es egipcia?

La señora Mauvais, que había vuelto a entrar en la tienda, se aclaró la garganta.

—Creo que la cena ya está lista —dijo.

VEINTICUATRO

CENA

Incluso Cas, que se sentía ligeramente menos indispuesta, pero aún más preocupada por la situación en que se encontraba, tuvo que admitir que la mesa era espléndida. Tenía un mantel sembrado de pétalos carmesí, cada pétalo fresco y perfecto, sin un solo rasguño o desgarro. Sobre aquel exuberante lecho carmesí había una docena de candelabros de cristal de alturas diversas, así como numerosas resplandecientes vasijas y bandejas de exótico diseño oriental. Cada cubierto llevaba un par de relucientes palillos chinos y ornamentados cubiertos de plata —tenedores diminutos, cucharas extrañamente curvas, cuchillos semejantes a agujas— que parecían antiguos instrumentos quirúrgicos.

En conjunto, la mesa no parecía tanto una mesa para cenar cuanto un santuario dedicado a un dios celoso y reclamante. Aquel efecto solo hizo que magnificarse cuando los camareros comenzaron a traer la comida, tan solemne y silenciosamente que podrían haber estado haciendo ofrendas en un templo, más que sirviendo la cena.

En efecto, cada vez que aparecía un nuevo plato, la señora Mauvais lo describía con una reverencia casi religiosa.

—La base de esta crema es cartílago derretido de un marsupial diminuto que vive bajo las piedras en una isla del Pacífico Sur —dijo del primer plato, que se sirvió en vasitos individuales del tamaño de un dedal—. Una excelente fuente de calcio. También elogiado por los pescadores por sus propiedades impermeabilizantes... Espero que no seáis vegetarianos.

»El pálido polvo azul que veis es el polen de una flor que solo florece a tres mil trescientos metros de altitud y solo después de un invierno muy largo —dijo de la cubierta de un panecillo que parecía un donut espolvoreado con azúcar pero que lo era todo menos dulce—. Algunos pueblos indígenas creen que aguza el intelecto. Sin duda, va muy bien para limpiar los senos nasales.

»Hígado de oso salteado en aceite de bacalao —anunció cuando colocaron un pedazo de carne particularmente poco atractivo delante de cada comensal—. Un plato que adoraban los vikingos. La razón de que sobrevivieran durante tanto tiempo en un clima tan frío. Quizá lo encontréis un poco insulso.

Antes de comerse cualquier plato, Cas y Max-Ernest tenían que cerrar los ojos y olerlo.

—Recordad que lo que experimentáis como sabor es olor en su mayor parte —dijo la señora Mauvais—. Por sí sola, la lengua solo puede identificar cuatro sabores. ¿O son cinco?

—Cinco —respondió el doctor L—. Creo que recientemente los científicos han descubierto que también puede identificar el sabor graso.

Después de oler la comida, tenían que examinarla con mucho detenimiento desde todos los ángulos, para apreciar las sutilezas del color y la forma.

—¿Deberíamos también escucharla? —preguntó Max-Ernest, que estaba claramente pendiente de todas las palabras de la señora Mauvais.

—Bueno, eso depende de si el plato hace ruido, ¿no, cielo? —respondió ella—. ¿Por qué no lo intentas?

Obedientemente, Max-Ernest acercó la cabeza al plato. Sentada enfrente de él, Cas puso los ojos en blanco, indignada.

Pese a sus entusiastas descripciones, Cas se fijó en que la señora Mauvais no comió durante la mayor parte de la cena. Solo bebió de una alta copa de vino tinto —al menos, Cas suponía que era vino—. Era del color adecuado, pero parecía inquietantemente espeso.

El único plato que la señora Mauvais se comió fue el último. Consistía en una pequeña masa temblorosa que latía de forma intermitente como un corazón. Se lo sirvieron únicamente a ella y no lo describió como había hecho con el resto. En vez de eso, lo ensartó brusca y violentamente con un palillo y se lo tragó entero.

Mientras suspiraba satisfecha, Cas creyó percibir una nueva vitalidad en las pálidas mejillas de su anfitriona.

—Tengo el estómago delicado —explicó—. Solo puedo comer unas pocas cosas. Y tienen que estar fresquísimas.

Cuando hubieron retirado los platos, la señora Mauvais centró su atención en sus invitados.

—Veamos, mis queridos jovencitos. Me pregunto si sabéis lo que pone en ese cuaderno. ¿Le habéis echado un vistazo?

—No —dijo Cas antes de que Max-Ernest pudiera decir otra cosa.

—Yo tampoco sé qué contiene exactamente, pero me temo lo peor —dijo la señora Mauvais—. Sabéis, Pietro era un amigo muy querido. Pero me temo que estaba bastante enfermo, mentalmente, quiero decir.

—¿Mentalmente? ¿Se refiere a que estaba loco? A mí no me lo parece —dijo Cas a la defensiva. Por algún motivo, se sentía como si la hubieran insultado personalmente.

—Ah, ¿entonces lo habéis leído?

Cas se ruborizó, no diciendo nada más.

—Tus orejas, querida. ¡Piensa en mi oferta! —dijo la señora Mauvais en voz cantarina—. Pero sí, en respuesta a tu pregunta, lamento decir que sufría delirios. Tenía un amigo imaginario, un hermano gemelo, que se inventó de niño. Se inventó la increíble historia de que se lo llevaron del circo cuando eran pequeños.

Ante aquello, Cas y Max-Ernest no pudieron evitar mirarse.

—Veo que conocéis la historia. Es lo que me temía. Para él era muy vívida, pero durante casi toda su vida supo que se trataba de una fantasía. Solo en sus últimos años empezó a creérsela realmente... ¿Te encuentras bien, doctor? —preguntó al doctor L, que había permanecido sorprendentemente callado desde el momento en que ella había sacado el cuaderno a colación.

Tenía las facciones tensas, como si se estuviera atragantando con algo, pero la tranquilizó con un gesto de la mano.

—Estoy bien —dijo, tapándose acto seguido la boca con una servilleta.

—Pues bien —continuó la señora Mauvais—, cuando sugerí a Pietro que su hermano no existía fuera de su imaginación, se puso violento. De hecho, me acusó de haber sido yo quien secuestró a su hermano, ¿podéis creerlo? No pareció caer en la cuenta de que yo era demasiado joven para haber estado viva cuando él era pequeño.

La señora Mauvais se rió entre dientes y se tocó la frente.

—Jovencísima —repitió.

¿Podía ser eso cierto?, se preguntó Cas.

¿Tenía Max-Ernest razón con respecto a la señora Mauvais? ¿La había juzgado ella con demasiada dureza? ¿Solo porque era un poco fría y rara? ¿O porque —por algún motivo, Cas se acordó de aquello en ese momento— Max-Ernest había dicho en una ocasión que era la mujer más guapa que había visto en su vida?

¿Estaba celosa? ¿Se trataba únicamente de eso?

—Entonces, ¿por qué están tan interesados en el cuaderno? —preguntó, esforzándose por salir de la red mental en que se estaba enredando—. Si es todo inventado...

—Porque no queremos que caiga en malas manos. Porque queríamos a Pietro y queremos que el mundo lo recuerde en su mejor momento, no como un loco.

Cuanto más pensaba en ello, más segura estaba Cas de no estar segura de nada.

No tenía ninguna prueba de que lo que había escrito el mago hubiera sucedido realmente.

Ninguna prueba de que la señora Mauvais estuviera involucrada en la desaparición de Luciano.

Benjamin Blake podía estar ya en casa, sano y salvo, y no había existido ninguna razón para que ella viniera a rescatarlo.

En su agitación, Cas dio un golpe en la mesa y volcó sin querer la copa de vino que la señora Mauvais tenía en la mano. La copa voló por los aires y el vino se d-e-r-r-r-r-r-r-r-r-r-r-r-r-r-r-r-r-a-m-ó.

¿Sabes esos momentos congelados en el tiempo en que la vida se transforma de repente en una película de kung fu y lo ves todo a cámara lenta? La copa estuvo en el aire menos de un segundo, pero aquel segundo duró lo bastante para que Cas pensara en mil cosas y se diera cuenta de por qué la había perturbado ver el vino de la señora Mauvais.

Tres palabras: *sangre de mono.*

¿Era sangre de mono? A decir verdad, no lo sé: algunos rumores son solo rumores. En cualquier caso, Cas estaba a punto de ver una imagen mucho más perturbadora que una copa de sangre.

Venga, déjame volver a situarte en la escena, esta vez en tiempo real:

La copa voló por los aires y el vino —sangre, elixir, quién sabe, no voy a posponer esto durante más tiempo— se derramó formando un arco, empapando uno de los largos guantes blancos de la señora Mauvais.

—¡Patosa!

La furia le enrojeció el rostro mientras se quitaba el guante de un tirón.

—Eran mi par favorito. Los compré en el mercadillo de París hace más de noventa…

Dejó de hablar, mirando donde miraban los ojos de sus invitados.

Gloria sofocó un grito.

Todos estaban mirando la mano de la señora Mauvais, desprovista por primera vez de su guante.

Era la mano de algún otro, de alguna otra cosa. Con los dedos tan delgados y frágiles que casi se podrían partir. Con las uñas tan amarillas y agrietadas que eran garras. Con la piel tan translúcida que se veían todos los huesos, ligamentos y venas.

Era la mano de una mujer anciana.

Una mujer muy anciana.

La mujer más anciana que Cas había visto en su vida.

VEINTICINCO
PRISIONEROS

Dicen que los ojos nunca mienten. Pero yo creo que es mucho más acertado decir que las manos nunca lo hacen.

Era inevitable, en una vida tan larga como la suya, que la señora Mauvais expusiera su mano de vez en cuando. Aun así, no había vivido tanto tiempo para permitir que un poco de vino derramado la alterara. Segundos después, ya se había puesto otro par de guantes.

Como si nada hubiera ocurrido, se dirigió a Gloria, a quien la sorpresa había sumido en una especie de estupor.

—¿Le importa dejarnos solos un momento?

—En absoluto —respondió Gloria, sin moverse.

—Gracias —dijo la señora Mauvais, haciendo un gesto con la cabeza a un empleado que había permanecido discretamente cerca de Gloria. En silencio, la ayudó a levantarse y se la llevó como si fuera una enferma, o quizá la paciente de un manicomio.

La señora Mauvais volvió a dirigirse a Cas y Max-Ernest.

—¿Dónde está el cuaderno? —preguntó, su voz glacial convertida en una tormenta de hielo.

Antes de contarte cómo reaccionaron Cas y Max-Ernest, permíteme recordarte algo que Max-Ernest ha mencionado en un punto anterior de nuestro relato: ellos solo tenían once años.

Estaban completamente rodeados por empleados del balneario. No tenían la menor idea de cómo —o si— volverían a casa. No tenían armas en los bolsillos, ni conocimientos para utilizar un arma de haberla tenido. No eran superhéroes. En pocas palabras, eran niños. Y acababan de ver una de las cosas más espeluznantes de su corta vida (aunque creo que la mano de la señora Mauvais habría asustado a cualquiera que la hubiera visto, tuviera la edad que tuviera). Así pues, sé compasivo cuando te digo que no vacilaron mucho antes de dar a la señora Mauvais lo que quería.

No obstante, Max-Ernest miró primero a Cas. No dijo nada en voz alta, pero su expresión le transmitió algo parecido a «vale, tenías razón. He cometido un terrible error y ahora estamos metidos en el peor lío de nuestra vida y yo estoy asustadísimo. ¿Qué vamos a hacer?»

Y Cas le respondió con un gesto de la cabeza que le transmitió algo similar a «sí, sí, todo eso lo entiendo, yo también estoy asustadísima. Dale rápidamente el cuaderno a la señora Mauvais antes de que nos mate». (Realmente, ¿cuál era la alternativa?)

Y entonces, y solo entonces, sacó Max-Ernest el cuaderno de su mochila.

La señora Mauvais lo cogió, con las manos re-enguantadas temblándole.

—¡Por fin! ¡Cuántos años he esperado!

—Bueno, ahora que ya lo tiene, creo que nosotros nos vamos —dijo Cas, indicando a Max-Ernest que se levantara.

—Vosotros no os vais a ninguna parte todavía —dijo ásperamente la señora Mauvais.

Abrió el cuaderno y miró brevemente el acertijo. Luego pasó las páginas en blanco cada vez con más irritación, tanta como la que habían sentido los niños al mirarlas por primera vez.

—¿Esto es todo? ¿Qué clase de truco es este?

—Dame, déjame ver —dijo el doctor L.

Cogió el cuaderno abierto y miró brevemente el acertijo, con un atisbo de sonrisa en los labios.

Luego devolvió el cuaderno a la señora Mauvais.

—Creo que descubrirás que el cuaderno está escrito. Si miras debajo de las páginas.

La señora Mauvais lo miró interrogativamente.

—¿Un código?

El doctor L asintió con la cabeza.

—Entonces es de Pietro. Es auténtico —dijo la señora Mauvais con palpable entusiasmo.

Manipuló nerviosamente el cuaderno hasta que sus páginas se desplegaron ante ella como un acordeón. Les echó un rápido vistazo, como si buscara una palabra o frase concreta que esperaba que captara su atención. Cuando llegó a la última página, alzó la vista, furiosa.

—¿Dónde está el resto? ¿Qué habéis hecho con él?

—No sabemos dónde está —respondió Max-Ernest con nerviosismo—. Pensamos en la posibilidad de que arrancara las páginas...

—¡Mentiroso! —gritó la señora Mauvais—. Lo has leído. ¡Y ahora me lo estás ocultando!

Max-Ernest se encogió de miedo, muy distinto del niño entusiasmado de hacía una hora.

Cas intentó defenderlo.

—Está diciendo la verdad. Esto es todo lo que había.

Pero, por una vez, la señora Mauvais parecía haber perdido el control y apenas escuchaba.

—El Secreto. Sé que Pietro descubrió el Secreto. Estaba tan cerca. Debió de descubrirlo. Nos lo ocultó. ¡Pero ya no puede hacerlo! ¡Ni vosotros tampoco lo haréis! ¡No os lo permitiré!

Cogió a Cas y Max-Ernest por los antebrazos, demostrando una fuerza sorprendente en sus frágiles dedos.

—Decídmelo —bufó—. ¡Decidme el Secreto!

Al oír las palabras de la señora Mauvais, Daisy (a quien Cas no había visto desde su llegada al balneario, pero que, ahora se daba cuenta, debía de haber estado siempre al acecho) apareció en la entrada de la tienda, cerrándoles el paso con su corpulencia.

Varios empleados del balneario se acercaron a la mesa, cerrando el círculo alrededor de Cas y Max-Ernest. A la espectral luz de la tienda, sus hermosas pieles bronceadas parecieron caparazones. Y sus sonrisas antes amables se convirtieron en pétreas miradas fijas.

La primera impresión que Cas había tenido del balneario era acertada; después de todo, era una cárcel.

¿Te han encerrado alguna vez en una habitación muy lejos de tu casa personas de las que tienes sospechas más que fundadas de que son capaces de matar o peor?

A mí tampoco.

Quizá por eso puedo escribir sobre ello sin derramar una lágrima.

Trágicamente, Cas y Max-Ernest no tuvieron esa suerte. Tuvieron que sufrirlo en carne propia.

Diez minutos después de la última vez que los hemos visto, Max-Ernest se estaba paseando por la habitación de Cas en un estado de agitación extremo incluso para él.

—Estúpido... estúpido... estúpido... —se estaba diciendo—. ¿Cómo he podido ser tan...?

—¿Quieres dejar de murmurar? —dijo Cas—. Me molesta muchísimo.

—Me odias, ¿verdad? No te culpo. Yo también me odio.

—No te odio —respondió Cas, en un tono no muy amable (Max-Ernest podía estar admitiendo sus errores, pero la imagen de la señora Mauvais besándolo en la frente seguía fresca en su memoria.)—. Solo estoy intentando pensar en cómo podemos burlar a esos dos, ya sabes, para poder salir de aquí con vida.

Señaló la ventana, desde donde podían ver a Daisy y Owen montando guardia en la puerta. Desde nuestra perspectiva más cómoda, ambos formaban una extraña pareja: la alta conductora malcarada y el pecoso mayordomo más bajo. Pero, sin duda, eran más que capaces de impedir que un par de niños de once años escaparan.

—¡Sabía que no debería haber traído el cuaderno! —exclamó Max-Ernest, hablando todavía consigo mismo más que con Cas—. Sin embargo, han dicho que era la única forma en que podía hacer una reserva. ¿Cómo sino iba a tener plaza?

—Olvídalo. No tenías opción —dijo Cas—. Pero, ya que estamos hablando del tema, lo que no entiendo es por qué has tenido que venir. Pensaba que ya no querías seguir investigando.

—Porque he supuesto que sabían quién eras, por eso.

—¿Y qué?

Max-Ernest la miró como si estuviera loca.

—Pues... pues... que estabas aquí.

—¿Y qué?

—Pues que no quería que te mataran.

—Ah... ¿no querías? —dijo Cas, intentando hacerse a la idea.

—Increíble. Te juro que a veces parece que no te enteres de nada —dijo Max-Ernest.

—Hum —dijo Cas—. Supongo que a veces lo parece.

Y empezó a sonreír.

En lo que respecta al resto de su conversación, bueno, si algunas conversaciones son demasiado perturbadoras para reproducirlas, otras son demasiado ñoñas y sensibleras. ¿Has oído alguna vez a dos personas haciendo las paces después de una pelea? No es muy interesante a menos que tú seas una de esas dos personas. Yo prefiero escuchar insultos y palabrotas; que el resto del mundo escuche las disculpas y las declaraciones de amistad.

Estoy seguro de que no hace falta que te diga cuánto se alegró Max-Ernest de que él y Cas volvieran a ser colaboradores. No obstante, a riesgo de ponerme cursi, te diré que, por muy contento que estuviera él, Cas lo estaba todavía más. ¿Sabes?, pese a las muchas veces que ella había intentado salvar al mundo, nunca nadie había intentado salvarla a ella. Le conmovía tanto que Max-Ernest hubiera venido a rescatarla que eso casi compensaba el hecho de que él no tuviera ningún plan para escapar.

Casi.

Justo cuando se les estaba pasando el optimismo infundido por su reunión y volvían a cobrar conciencia de la gravedad de su situación, la puerta se abrió y entró el doctor L.

Muy distinto del afable médico que había recibido a Cas a su llegada al balneario, tenía una expresión de honda concentración, como si tuviera dificultades para contener una intensa furia volcánica. Cas y Max-Ernest se apartaron instintivamente de él.

—La señora Mauvais no está contenta. Ni tampoco yo —dijo, con inquietante parquedad—. Esperábamos encontrar cierta... información.

—Se refiere al Secreto —dijo Max-Ernest, en una voz algo ronca.

—Sí, me-refiero-al-Secreto —dijo el doctor L apretando los dientes—. Si sabéis algo, si habéis visto algo, incluso si pensáis algo, os recomiendo que me lo contéis ahora.

—¿O qué? ¿Va a torturarnos? —preguntó Cas, con mucha más audacia de la que sentía.

—Tal vez —dijo el doctor L con desdén. Los señaló acusadoramente—. Pero lo que debería asustaros es lo que os hará el Secreto.

—¿A qué se refiere? Los secretos no «hacen» nada —dijo Max-Ernest, colocándose junto a Cas.

—Además, usted ni siquiera conoce el Secreto —añadió Cas, cogiendo a Max-Ernest de la mano en actitud protectora.

—Sabemos ciertas cosas —dijo el doctor L, acercándose tanto que los arrinconó.

Comenzó a citar datos como un obseso.

—Sabemos cuándo se descubrió el Secreto: año 1212 a. C. Sabemos dónde: Luxor, Egipto. Sabemos quién lo descubrió: un médico de la corte. También sabemos que, tres días después, fue ejecutado. ¡Lo que no sabemos es por qué!

Los atravesó con la mirada, como si sospechara que conocían la respuesta, como si pudieran ser responsables de la muerte del médico.

—¿Fue porque el médico se negó a explicar el Secreto al faraón? —preguntó en tono amenazador—. ¿O sí se lo contó? ¡Y el Secreto enfureció tanto al faraón que exigió la cabeza del médico!

—¿P-por qué tendría que enfurecerlo tanto el Secreto? —preguntó Max-Ernest.

—¡Exactamente! Y hay más —dijo el doctor L, en un estado casi febril—. Antes de morir, el médico escribió su secreto en un trozo de papiro, con la intención de que lo enterraran con él. Y así fue. Hasta años después, cuando unos saqueadores de tumbas robaron el papiro. No tenían la menor idea de su valor. Puede que ni siquiera lo leyeran, pero murieron violentamente poco después, e instigaron una guerra de cuarenta años.

Les escrutó el rostro para asegurarse de que estaban apropiadamente asustados. Ellos intentaron no manifestar ninguna emoción. Pero tenían miedo, naturalmente, al menos del doctor L.

Él asintió con la cabeza, satisfecho, y se puso a andar de acá para allá. Hablar del Secreto le iluminaba la cara con una expresión tan vampírica que casi era posible imaginarse una capa ondeando detrás de él.

—A principios del siglo XIX —continuó el doctor—, el papiro salió a la luz en Praga, donde un anticuario lo compró como una curiosidad. Se lo dio a un egiptólogo para que lo tradujera. El egiptólogo se volvió loco y el papiro desapareció para siempre. En cuanto al anticuario, pasó el resto de su vida buscando infructuosamente el Secreto hasta que murió, solo y pobre, presa de un terrible virus que descomponía la carne.

El doctor L giró sobre sus talones y miró a su joven público, con los ojos brillándole.

—Y yo os pregunto: ¿Os parece un secreto que queráis guardar?

—Entonces ¿el Secreto es una maldición? —preguntó Max-Ernest, con la cabeza llena de visiones dantescas.

—Es una fórmula. Es muchas cosas.

—¿Una fórmula para qué? —preguntó Cas.

—Eso da igual —se apresuró a decir el doctor L—. La señora Mauvais y yo llevamos toda la vida preparándonos para conocer el Secreto. Vosotros sois niños. Os destruirá.

—Se lo hemos dicho un montón de veces. No sabemos nada —dijo Max-Ernest en tono suplicante.

—Es cierto —dijo Cas—. En el cuaderno no había más páginas. ¡Lo juro!

El doctor se quedó mirándolos, sopesando sus palabras, y su destino.

—Si nadie volvió a ver el papiro, ¿cómo sabe tanto de él? —preguntó Cas, la curiosidad venciendo a la cautela—. ¿Lo encontró Pietro?

—Pietro tenía ideas muy distintas con respecto al Secreto —dijo evasivamente el doctor L—. No nos poníamos de acuerdo en ese tema.

—Lo hizo, lo encontró, ¿no? —insistió Cas, sintiéndose de pronto muy audaz—. Y ustedes intentaron quitárselo. Y cuando él no se lo quiso dar, quemaron su casa. ¡Y lo mataron!

Cas no había pretendido decir tanto, pero ahora que lo había hecho se sentía extrañamente victoriosa, como si hubiera querido hacer aquella acusación desde el principio y por fin lo hubiera logrado.

—Matarlo, ¿nosotros? —preguntó el doctor L, con una media sonrisa—. Entonces, ¿quién tiene las páginas del cuaderno que faltan? Si no se las llevó él…

Se le endureció la mirada.

—Vaciaos los bolsillos, ¡los dos!

Max-Ernest obedeció de inmediato, sacándose de los pantalones trocitos de papel, envoltorios de chicle, un cromo arrugado y una pajita masticada y dejándolos en la mesa junto a él.

Cuando Cas se metió las manos en los bolsillos, la mente se le disparó:

Antes, mientras el doctor L miraba el cuaderno de Pietro, se le había medio ocurrido algo, únicamente la semilla de un pensamiento aún sin formar. Después, escuchando el modo como él pronunciaba el nombre de Pietro, la semilla había germinado en una sospecha a medio formar. Ahora, su sospecha había crecido para convertirse en una predicción en toda regla.

Pero ¿cómo verificarla?

El doctor L la miró enfurecido.

—¿No me has oído? ¡Vacíate los bolsillos, ahora!

—Vale, vale.

Cas rebuscó en ellos y encontró una cosa pegajosa... ¿Podía ser? Sí, lo era...

Sacó el Besito que llevaba en el bolsillo.

Asegurándose de que el doctor L la estaba observando, se untó descaradamente los labios con la barra de cacao. Luego, la alzó como un premio.

Max-Ernest la miró como si estuviera loca de remate.

—¿Qué estás haciendo? —farfulló.

—¿Huelo a... algodón azucarado? —preguntó el doctor L, frunciendo el entrecejo.

—Sí, es mi brillo de labios —dijo Cas con estudiada desenvoltura.

—¿Brillo de labios? Déjame verlo —le ordenó el doctor L.

Cas se lo dio.

—Lo hacen las hermanas Escaleto —dijo—. Es un brillo de labios como todos, pero la gente lo compra por ellas. Una bobada, si quiere mi opinión.

El doctor L examinó el brillo de labios con curiosidad, como si fuera un objeto inusual, si no una antigüedad egipcia. Luego se lo llevó a la nariz.

Cerró los ojos e inhaló, conteniendo la respiración como si no pudiera soportar exhalar el olor.

Max-Ernest miró a Cas: «¿Qué está pasando?». Pero ella se limitó a negar con la cabeza: «Espera.»

Transportado a otro lugar, el doctor L dejó caer el brillo de labios al suelo.

Cuando abrió los ojos, había lágrimas en ellos.

—¿Le ha escocido en los ojos? A veces, los que huelen muy fuerte lo hacen —dijo Cas, sabiendo perfectamente que no era eso lo que había sucedido.

—No, ¡no ha sido nada! Solo algo del pasado… ¡absurdo!

El doctor L se agachó para coger el brillo de labios.

—Ahora es mío —dijo, metiéndoselo en el bolsillo.

Solo había bajado la cabeza un segundo, pero Cas había tenido tiempo suficiente para verle fugazmente la nuca y obtener la prueba que estaba buscando.

Llamaron a la puerta. Daisy entró en la habitación, encorvándose ligeramente para evitar darse con la cabeza en el dintel de la puerta.

—Disculpe, doctor. Es el niño. Tiene mucha fiebre. Creen que a lo mejor no pasa de mañana. La señora Mauvais dice que tiene que ser esta noche.

—¡Benjamin Blake! —exclamó Max-Ernest antes de que Cas pudiera lanzarle una mirada—. ¿Qué le están haciendo?

El doctor L lo miró, con expresión seria.

—La señora Mauvais tiene razón. Sabéis demasiado, y tal vez no lo bastante. Tenéis doce horas para decidir si recordáis algo útil. Después de eso… —Dejó la amenaza en suspenso—. Naturalmente, si todo va bien esta noche, puede que ya no os necesitemos. Y eso será vuestra perdición.

Cuando se hubo ido, Cas se dirigió a Max-Ernest.

—Dime, ¿la has visto?

—¿El qué?

—La marca de nacimiento en el cuello. Tenía forma de luna creciente.

Max-Ernest abrió la boca, sin saber qué decir, por una vez, al pensar que aquel hombre tan enormemente horrible era Luciano Bergamo.

VEINTISÉIS

BENJAMIN BLAKE, UN ARTISTA PREMIADO

Durante la mayor parte de su vida, Benjamin Blake creyó que se le daba mal el dibujo, principalmente porque no lo entendía.

Cuando otros niños dibujaban un triángulo encima de un cuadrado, él no veía una casa, sino que oía el agudo silbido de un tren combinado con el sordo ruido de una roca cayendo a un suelo de tierra.

Cuando dibujaban un círculo alrededor de dos puntos y una línea curva, no veía una cara sonriente, sino que olía a galletas horneándose y oía dos pitidos y un débil chirrido.

Para Benjamin, todas las personas y cosas eran una combinación única de sonido y color, olor y sabor. En sus obras, intentaba plasmar todas aquellas dimensiones distintas de lo que dibujaba. Pero cuando los otros niños miraban sus dibujos, lo único que veían era un embrollado desorden. Así que Benjamin suponía que no era mejor en dibujo de lo que era en matemáticas, ciencia o jugando al futbolín.

Entonces se apuntó a unas clases extraescolares llamadas «Arte sin fronteras». En ellas, vio una fotografía de unas piedras que alguien había colocado en un lago para formar una espiral; las piedras eran un ejemplo de un tipo de arte llamado *Earthworks.* También supo que había personas que se subían a un escenario y hacían cosas absurdas; se llamaban artistas de *performance.* Y le hablaron de personas que se limitaban a escribir listas de ideas para obras de arte que nunca llevaban a cabo; se llamaban artistas conceptuales.

Parecía que sería bastante fácil ser un artista si se sabía hacer alguna de aquellas cosas.

En «Arte sin fronteras», los alumnos tenían que hacer cosas tales como crear lenguajes imaginarios o inventar alternativas a la gravedad. Cuando querían dibujar, pintar, esculpir o realizar cualquier actividad artística normal, su profesor —que llevaba un peinado rasta con unas enmarañadas mechas que le rebotaban mientras hablaba y conseguía que todo lo que decía pareciera importantísimo— los animaba a hacer arte abstracto en vez de intentar copiar el mundo que los rodeaba. «Para hacer copias ya están las fotocopiadoras» les dijo, lo cual fue extraño, porque acababa de enseñarles algunos ejemplos de arte hecho con fotocopiadoras que no parecían copias de nada.

Benjamin intentó explicar que sus pinturas no eran abstractas, que eran copias del mundo tal como él lo veía. Pero el profesor dijo que eso era casi lo mismo y que no debía preocuparse. Después de aquello, Benjamin comenzó a pintar todo lo que veía, sobre todo música, que era lo que más le gustaba mirar.

Sin decírselo, su profesor presentó su obra al Concurso de Jóvenes Leonardos. Nadie se lo podía creer cuando Benjamin ganó el primer premio, él menos que nadie. No solo no había ganado nunca un premio, sino que ni siquiera se había presentado a un concurso.

A Benjamin le gustó ganar. Pero tener éxito no era nada fácil.

De pronto, todo el mundo quería hablar con él y hablar era muy difícil para Benjamin. Normalmente, cuando lo hacía, la gente pensaba que estaba loco. O, si no, que estaba recitando un poema.

Como aquellos dos desconocidos de aspecto tan impresionante que lo habían abordado en el patio de la escuela, la Dama Dorada y el Hombre Plateado.

—Qué buen ojo tienes. ¿O debería decir oído? —dijo la Dama Dorada—. No he visto a un jovencito con tanto talento desde, bueno, desde que este hombre era pequeño.

—Oh, pero yo no he pintado nunca así —dijo el Hombre Plateado, riéndose con falsa humildad—. Este niño es único. ¿Verdad, hijo?

Pero Benjamin ni siquiera fue capaz de darles debidamente las gracias. Era consciente de que, fuera lo que fuera lo que hubiera dicho, debía de haberles sentado mal, porque, en vez de inspirarle calidez, sus sonrisas no le inspiraron nada en absoluto.

Aquellos desconocidos no le caían simpáticos.

Los dos tenían la voz gris. Gris era el color de las voces de los ordenadores y los mensajes grabados. Según su experiencia, cuando la gente tenía la voz gris solía estar mintiendo. Pero su madre le había dicho que no era justo juzgar a las personas en virtud del color de su voz; sobre todo porque nadie podía verlo salvo él.

Era difícil creer que los demás no pudieran ver las palabras de los desconocidos saliéndoles de la boca como volutas de humo —¿o era más bien como el vaho del aliento en un día especialmente frío?—, pero Benjamin intentó no mirar. Además, si escuchaba únicamente lo que decían, y no cómo lo decían, tenía que admitir que eran muy amables.

Le dijeron que habían venido para llevarlo a un campamento de arte.

—Va a ser muy divertido —dijo la Dama Dorada—. Tenemos toda clase de material artístico y habrá muchos otros niños artistas con quienes jugar.

A Benjamin le alivió que no quisieran quitarle el premio; por algún motivo, creía que podían haber venido a eso. No obstante, aquel campamento de arte parecía peculiar. Incluso Benjamin, que jamás había ido a un campamento y tenía muy poca noción del tiempo, las fechas o las estaciones del año, sabía que la gente iba a campamentos durante el verano, no durante el curso y, desde luego, aún menos en horas de clase. Pero los desconocidos eran adultos y, por tanto, tenía que hacerles caso. Además, le dijeron que tenían un permiso especial de la señora Johnson y le prometieron traerlo de vuelta al final del día.

Mientras reflexionaba sobre lo que le estaban diciendo, Benjamin apenas se dio cuenta de que se lo estaban llevando fuera de la escuela por la verja trasera.

Solo cuando la limusina comenzó a alejarse de la escuela recordó las otras instrucciones de su madre: no subirse nunca a un coche con personas desconocidas.

Dándose cuenta de que había cometido un terrible error, se volvió para mirar su escuela cada vez más distante. La verja seguía abierta y había una niña mirando por ella. Era Casandra, la niña de las orejas grandes y puntiagudas que, por algún motivo, siempre le recordaba al helado de menta con virutas de chocolate de menta, con cierto sabor a chocolate, pero, sobre todo, a menta. Sus ojos se encontraron por un momento y él le pidió mentalmente socorro. Lamentablemente, por extraño que fuera su cerebro, no parecía poseer la facultad de comunicarse por telepatía.

Uno de los desconocidos le puso un pañuelo en la cara y todo se tornó negro.

Benjamin se despertó notando todavía en la boca el sabor a helado de menta con chocolate.

Llevaba una especie de túnica blanca y se encontraba en una cama y en una habitación desconocidas. La habitación estaba prácticamente desprovista de muebles y tenía las paredes blancas, el suelo de piedra y una ventana diminuta cerca del techo.

Había algo indescifrablemente extraño en aquella habitación. ¿Qué era? Era el silencio, advirtió al cabo de un momento. Nunca en su vida había experimentado la ausencia total de sonido.

Se rascó la cabeza y descubrió que la tenía completamente lisa. Como un huevo. Estaba calvo.

¿Dónde se encontraba?

Solo entonces vio a la Dama Dorada parada cerca de él, escrutándolo.

—¿Estoy soñando? —preguntó, esforzándose por hablar con claridad.

Ella negó con la cabeza.

—¿Es esto un hospital? ¿Qué ha pasado?

—Estás en una cámara de purificación —dijo ella en voz baja—. Ahora cállate y cierra los ojos. No deberías tener ninguna estimulación.

—¿Qué hay del campamento?

—Después, Benjamin. Después.

Cuando volvió a abrir los ojos, estaba solo y tuvo miedo. O no estaba soñando o lo estaba haciendo y era incapaz de despertarse, lo cual era peor.

Cuando la Dama Dorada reapareció, no le dijo nada.

Benjamin le dijo que tenía hambre y ella le dio una bebida blanquecina que parecía leche a la vista y al tacto, pero que no tenía ningún sabor ni olor.

Conforme pasaron las horas, la falta de estimulación comenzó a afectarle. Empezó a imaginarse cosas: sonidos, colores, olores, sabores. Aquellas sensaciones no las sentía en un plano plenamente consciente, sino en uno casi subconsciente, como cuando te hacen una audiometría y los pitidos son tan agudos o graves que casi quedan fuera del espectro audible para el oído humano.

Cuando un sonido real penetró por fin en la habitación, Benjamin estaba tan ensimismado que al principio no supo qué era. Cuando al fin lo reconoció como el sonido de un motor de coche, se puso de pie en la cama; subiéndose a la almohada, pudo mirar por la ventana. Afuera era de noche y apenas alcanzó a distinguir una carretera entre los árboles. La limusina estaba pasando por delante de él.

Había una niña con la nariz pegada a la luna trasera y, súbitamente, la boca se le llenó de sabor a helado de menta con chocolate. Era Casandra, la niña que lo había observado desde la verja; y ahora él la estaba observando a ella. Era como si la escena se repitiera, pero al revés. Pensó en saludarla con la mano o gritar, pero entonces decidió que sin duda lo estaba imaginando todo. ¿Qué posibilidades había de que ella estuviera allí?

Después de todo, debía de haber estado soñando.

VEINTISIETE

LA PIRÁMIDE

PRIMERA PARTE

L.
L DE LUCIANO.
L DE DOCTOR L.
L DE HERMANO LLORADO.
L DE MÉDICO LOCO Y LUNÁTICO.
L DEL LÍO EN QUE LOS HABÍA METIDO.

Qué obvio viéndolo retrospectivamente. Y qué horrible.

Cas no se lo había dicho a Max-Ernest porque sabía que él le diría que no tenía ninguna lógica, pero, en su fuero interno, había esperado salvar a Luciano a la vez que salvaba a Benjamin. Se había imaginado al hermano del mago como a un frágil anciano de largos cabellos canos, atrapado en una celda. Su plan era liberarlo. Decirle cuánto lo quería Pietro. Hacer que sus últimos días de vida fueran felices.

¿Y aquel prisionero de su imaginación había sido desde el primer momento su captor en la vida real?

La señora Mauvais, Cas lo sabía, debía de haberlo corrompido cuando era pequeño.

Predisponiéndolo contra su hermano. Convirtiéndolo en lo que ahora era.

Pero eso no lo disculpaba. Eso no disculpaba el secuestro, ni el asesinato.

¡Pensar que Pietro se había pasado toda su vida buscando a un hermano que no era nada más que un traidor!

Cas se sentía traicionada. Personalmente traicionada.

Max-Ernest estaba de acuerdo en que el doctor L se merecía la peor clase de castigo. Pero propuso tantas ideas distintas sobre cuál debería ser que Cas tuvo que suplicarle que dejara de pensar en castigos y empezara a hacerlo en formas de escapar.

Por desgracia, lo segundo era mucho más difícil que lo primero.

En las dos horas y media desde que el doctor L había sido informado de que «tiene que ser esta noche» (fuera lo que fuera), el balneario se había convertido en un hervidero de actividad.

La esfera de la pirámide, que antes daba poca luz, se encendía y se apagaba, inundando intermitentemente el balneario de luz y transmitiendo claramente alguna clase de mensaje, aunque Cas y Max-Ernest estaban seguros de que no era en código Morse.

Por la ventana de la habitación, alcanzaban a divisar las altas verjas de acceso. Las vieron abrirse cada pocos minutos, permitiendo la entrada a nuevos clientes que se dirigían hacia la esfera del Sol de Medianoche como polillas atraídas por la luz. Hasta el momento, ya habían llegado al menos cuarenta personas, multiplicando aproximadamente por dos la población del balneario y llenando el patio que circundaba la pirámide de una multitud extraña y no muy animada.

Desde lejos, era difícil saber qué podían tener en común los nuevos clientes del balneario, salvo el aspecto de provenir de lugares remotos o de épocas remotas o de ambos. Un hombre llevaba un sombrero de copa y chaleco y otro un *kaffiyeh* árabe. Una mujer iba vestida con un kimono muy antiguo y otra con un sari. Algunos llegaron en vehículos tan antiguos que parecían carruajes. Unos cuantos vinieron a caballo.

Lo que sí sabían Cas y Max-Ernest era que, fuera cual fuera el evento de aquella noche, aquellas personas llevaban mucho tiempo esperándolo. Algunas estaban tan desesperadas por entrar en la pirámide que se quedaban de pie en el borde del foso, como si estuvieran dispuestas a cruzarlo a nado.

La señora Mauvais, más resplandeciente que nunca, se mezclaba con los recién llegados como una anfitriona perfecta —saludando, presentándose, gesticulando—. Parecía que estuviera rogándoles que no se impacientaran mientras, al mismo tiempo, los conducía al límite de su paciencia.

Finalmente, las grandes puertas de bronce de la base de la pirámide se abrieron y el estrecho puente levadizo descendió sobre el foso. Mientras los nuevos clientes se dirigían en tropel hacia el puente, Cas pudo verlos mejor y confirmar que todos tenían una desconcertante característica en común:

—Oye, ¿ves eso? —preguntó a Max-Ernest.

—¿El qué?

—Todos llevan guantes.

Al otro lado de la ventana, de espaldas a Cas y Max-Ernest, Daisy y Owen estaban contemplando la misma escena. Cas llevaba horas intentando captar la atención de Owen, confiando en que él se compadeciera de su difícil situación, en no haberse imaginado la chispa de amistad que había brotado entre ellos.

Ahora que Daisy tenía la atención puesta en la pirámide, Cas intentó volver a hacerle señas para que se acercara. Pero Owen la ignoró por completo, aunque estaba segura de que la veía por el rabillo del ojo.

—Es tan malvado como los demás —refunfuñó—. No sé por qué he pensado que era buena persona.

Dejó de hablar para escuchar la conversación que se estaba desarrollando fuera.

—La noche más importante del año —estaba diciendo Daisy—. Quizá la noche más importante de nuestras vidas, y tenemos que quedarnos aquí.

—A-anda, v-ve. Y-yo l-los v-vigilaré —dijo Owen.

—¿De veras?

—C-claro. U-uno d-de l-los dos d-debería v-ver lo q-que p-pasa.

—No sé…

—Oh, v-ve. Q-quéd-date d-detrás. N-nadie t-te v-verá. Y y-yo no s-se l-lo di-r-ré a n-nadie.

—Está bien. Solo un momento. Pero volveré antes de que terminen. Y gracias…

En cuanto Daisy se fue, Owen entró sigilosamente en la habitación. Cas lo ignoró.

—Troncos. Hora de pirarse —dijo—. Hay un teléfono en una vieja cabaña a unos cinco kilómetros de aquí. Pero no piseis la carretera hasta que veais el teléfono. En cuanto vuelva Daisy, vais a tenerlos pegados al culo.

Cas miró a Owen con desconcierto. Era como si en la habitación hubiera entrado una persona completamente distinta. En sesenta segundos, su mayordomo había dejado de ser tartamudo para convertirse en un pandillero.

—¿Quién eres? —preguntó—. ¿Eres espía o algo así?

—Algo así. Anda, atadme con esto, para que no se huelan que os he ayudado a piraros de aquí.

Les enseñó un cable telefónico. (Cas se alegró de ver que su mano, ahora desnuda, era la mano de una persona joven.)

—Caray, es la primera vez que conozco a un espía —dijo Max-Ernest—. Aunque sabía que los espías existían. Bueno, saberlo lo que es saberlo no…

—¡Atadme y daos el piro! —dijo Owen—. Tal como están las cosas, tenéis un diez por ciento de posibilidades. Si esperáis más, sois historia, troncos.

Cas y Max-Ernest cogieron sus mochilas. Ya habían hecho el equipaje en preparación para la huida.

Pero Cas no estaba precisamente dispuesta a seguir el plan de Owen.

—No podemos irnos todavía —le dijo mientras ella y Max-Ernest comenzaban a enrollarle el cable alrededor del cuerpo—. Ese niño, Benjamin Blake, está en la pirámide, ¿no? Van a matarlo, ¿verdad?

Owen no dijo nada. No hacía falta.

—Va a nuestra escuela —dijo Cas.

—¿Y qué? Así os quedarán más biberones para los dos.

Cas no supo distinguir si hablaba en serio.

—Hemos venido por él —dijo.

—Bueno, ella ha venido por él. Y yo he venido por ella —la corrigió Max-Ernest, mirándola—. Pero tiene razón, debemos salvarlo —se apresuró a decir.

Owen se mofó.

—Bajad de las nubes. Vosotros sois niños y ahí dentro hay cientos de personas. Y esta gente está más pirada de lo que os podéis imaginar.

—De hecho, creo que nos lo podemos imaginar —dijo Max-Ernest—. Lo sabemos todo sobre las lobotomías y eso.

—Tronco, si os pescan, vas a desear que te hubieran hecho una lobotomía.

Cas alzó un pañuelo.

—¿Tenemos que amordazarte con esto?

Owen asintió con la cabeza. Y antes de que pudiera decir nada más, Cas se lo ató alrededor de la boca.

—Gracias, Owen.

—Sí, gracias… tronco —dijo Max-Ernest.

Owen gruñó frustrado. Los niños lo habían atado tan bien que no podía hacer nada para detenerlos.

—Por cierto —dijo Cas al salir—, necesitas perfeccionar tu papel de pandillero. Eras más convincente como tartamudo.

El balneario estaba vacío; todo el mundo se encontraba dentro de la pirámide.

Aun así, Cas y Max-Ernest intentaron no hacer ningún ruido cuando entraron en la sala de espejos que albergaba el despacho de la señora Mauvais. Mejor ser precavidos.

—Aquí dentro tiene que haber una puerta secreta —susurró Cas—. He estado en todos los demás sitios. Es el único lugar donde puede haber una.

Max-Ernest asintió con la cabeza y un centenar de reflejos asintieron con él. Él y Cas comenzaron a caminar por la periferia de la sala —él en el sentido de las agujas del reloj, ella en la dirección contraria—, examinando los bordes de los espejos. Hasta que se encontraron en mitad de la pared que había enfrente de la puerta.

Max-Ernest se quedó mirando el espejo que tenían delante.

—¿Quieres dejar de mirarme las orejas? —dijo Cas, que estaba teniendo dificultades para no verlas ella—. ¡No me las voy a cortar! ¡Me da igual lo que digan!

—Ni siquiera te estaba mirando las orejas. Solo pensaba. ¿No está la pirámide en esta dirección?

—Sí, eso creo.

—Bueno, ¿no querrías tener una ventana aquí, para verla? A menos que hubiera algo detrás del espejo…

Cas empujó el espejo. Se abrió de inmediato.

Vieron un destello rubio…

Sofocaron un grito: ¡La señora Mauvais!

No, cuando volvieron a mirar vieron que solo era una peluca, colocada en una cabeza de maniquí.

—Debe de ser una peluca de repuesto —dijo Cas, respirando con dificultad.

—¿Lleva peluca? —preguntó Max-Ernest, casi dando la impresión de estar decepcionado.

—Sí, y probablemente también lleva una nariz falsa —dijo Cas, casi dando la impresión de estar recreándose.

Cas cerró la puerta de espejo y probó la siguiente. Detrás había un viejo archivador como el que se podría haber encontrado en la consulta de un médico de otro siglo.

Encima del archivador estaba…

—Sabía que la habían cogido ellos —dijo Cas.

… la Sinfonía de Olores. Max-Ernest fue a cogerla, pero Cas se lo impidió.

—Pesa demasiado. Cojámosla al salir.

—Vale, ¿pero ni siquiera quieres echar un vistazo a lo que hay aquí? —dijo Max-Ernest, señalando el archivador.

Antes de que Cas pudiera cerrar la segunda puerta de espejo, Max-Ernest abrió un cajón y empezó a hojear las carpetas que contenía.

—Mira, los hermanos Bergamo.

Sacó la carpeta y la abrió en las manos. En el interior había viejos recortes de periódico que cayeron al suelo, con fotografías en las que Pietro y Luciano aparecían actuando en el circo cuando eran pequeños.

Rápidamente, Cas y Max-Ernest miraron el resto de carpetas del archivador. Había aproximadamente una docena, cada una con información de un niño distinto. Todos los niños eran prodigios en un sentido u otro: músicos, artistas, poetas, matemáticos, algunos nacidos hacía más de ciento cincuenta años. En una carpeta había una fotografía de una bonita niña china, tocando el violín. Cas y Max-Ernest la contemplaron entristecidos, recordando a la niña del cuaderno de Pietro.

Las fotografías y los recortes de periódico llevaban adjuntas historias clínicas que describían detalladamente las enfermedades de los niños; casi todas ellas terminaban con la palabra *fallecido* junto a una fecha.

—¿Crees que ella los ha matado a todos? —inquirió Max-Ernest—. Me pregunto por qué no mató a Luciano.

—No lo sé. Quizá le cogió demasiado cariño. Y luego ya fue demasiado mayor, o algo así. O a lo mejor quería un colaborador... Venga, no tenemos tiempo —dijo Cas, cerrando el cajón—. ¡Quién sabe qué le estarán haciendo a Benjamin ahí dentro!

El próximo espejo era una puerta.

Al cruzarla, Cas y Max-Ernest se encontraron en una pequeña biblioteca repleta de libros amontonados, todos ellos, se veía a simple vista, raros e inestimables. Algunos tenían las tapas doradas e incrustadas de joyas. Otros estaban tachonados de latón y encuadernados en piel. Algunos parecían tan viejos que se convertirían en polvo si los tocaban. Era como internarse en un cofre del tesoro lleno del libros, reunido por bibliotecarios piratas.

Mientras Cas buscaba puertas y pasadizos secretos, Max-Ernest no pudo despegar los ojos de los libros; empezó a hojearlos casi contra su voluntad. Aunque muchos de ellos tenían tapas de gran belleza, solo contenían horrores. Hasta la inspección más somera revelaba aguafuertes de siniestras criaturas tales como hombres bicéfalos y dragones tricéfalos, mujeres con alas de murciélago y monstruos encerrados en globos de cristal. Había planetas ígneos y tormentosos océanos. Había antiguos mapas de lugares a los que nunca habría que ir. Instrucciones para experimentos que nunca habría que probar. Y claves nemotécnicas para códigos secretos que era mejor olvidar.

—Oye, Cas —susurró Max-Ernest volviendo la cabeza—. ¿Sabes qué es la alquimia?

—Claro, lo que hacen los magos —respondió Cas desde el otro lado de la habitación.

—Sí, pero también hay alquimistas auténticos. Al menos, hubo personas que lo intentaron de verdad. Escucha esto —dijo Max-Ernest—. «La alquimia sostiene que la vida está hecha de una sola cosa. Tradicionalmente, dicha cosa se llamó piedra filosofal, aunque no es tanto una piedra cuanto una fórmula secreta. Si lograban encontrarla, los alquimistas creían que podrían transformar el plomo en oro y hacerse inmortales.» ¿No te recuerda esto a lo que ha dicho el doctor L? ¿Te acuerdas: la «Ciencia Verdadera» donde todo es uno?

—Sí, tal vez —dijo Cas, no escuchándolo realmente—. Pero ven a ver esto...

Está bien. Debo hacerte una confesión.

En realidad, Max-Ernest no leyó el pasaje en voz alta. Vio una referencia a la alquimia en un libro, preguntó a Cas si sabía lo que era y luego dejó el libro. El párrafo que describe la alquimia lo he escrito yo. No lo encontrarás en ningún otro sitio, desde luego no en un libro incrustado de joyas de una biblioteca próxima a una pirámide.

El caso es que no sabía de qué otro modo incluir la información, y tú vas a necesitarla para entender las páginas que te quedan por leer.

Asimismo, debo admitir que te he empezado a coger un poco —solo un poco— de cariño. ¿Y cuál es la expresión: guerra avisada no mata soldado? Al fin y al cabo, poder comprender lo que sucede en un libro es una cosa, pero poder sobrevivir es otra bien distinta.

¿Sabes?, el balneario de la señora Mauvais no era realmente un balneario, o no solamente. Era el hogar de uno de los grupos de alquimistas más antiguo, poderoso y siniestro del mundo: los alquimistas que se autodenominan señores del Sol de Medianoche.* Y, aunque todavía no habían descubierto el Secreto, ya tenían muchos secretos, y peligrosos, además.

¡Ojalá hubieran tenido Cas y Max-Ernest la misma ventaja que te estoy dando a ti! En ese caso, quizá habrían seguido el consejo de Owen y corrido a casa mientras podían. En vez de eso, actuaron como héroes, es decir, neciamente, sin tomar en consideración la seguridad ni el sentido común.

Tú, espero, no cometerás el mismo error.

Y ahora retomemos la historia:

—Estoy segura de que lleva a la pirámide; tiene que hacerlo —dijo Cas cuando Max-Ernest se reunió con ella al fondo de la biblioteca.

Estaba delante de una puerta de bronce repujado repleta de jeroglíficos egipcios…

Pensándolo mejor, hagamos un descanso antes del próximo capítulo. No sé tú, pero a mí me vendría de perlas.

* Dicho esto, no todos los alquimistas son charlatanes o delincuentes. La química tuvo su origen en la alquimia. La psicología también. Sir Isaac Newton, el hombre que descubrió la gravedad, era alquimista. También lo era el hombre que inventó la medicina moderna. La próxima vez que vayas a hacerte una revisión, pregunta a tu médico si cree en la alquimia. Si te responde que no, ¡dile que cambie de oficio!

VEINTIOCHO
LA PIRÁMIDE

SEGUNDA PARTE

—Estoy segura de que lleva a la pirámide; tiene que hacerlo —dijo Cas cuando Max-Ernest se reunió con ella al fondo de la biblioteca.

Estaba delante de una puerta de bronce repujado repleta de jeroglíficos egipcios. No se trataba de una puerta oculta o secreta, pero era más pequeña de lo normal y estaba parcialmente tapada por libros. Parecía la puerta de una caja fuerte, o quizá de una tumba, una puerta concebida para impedir el paso a la gente, no para dejarla entrar.

Justo en el centro tenía un gran disco con las letras del alfabeto: una cerradura de combinación.

—Debe de haber una contraseña secreta —dijo Cas—. Pero ¿cómo la averiguamos?

—A lo mejor hay alguna pista…

—Seguro, si supiéramos leer jeroglíficos —dijo Cas, ya desanimada.

—¿Sabes leer tu idioma?

Max-Ernest le señaló a qué se refería.

Rodeando los jeroglíficos, mezcladas con flores de loto, escarabajos y toda clase de dibujos egipcios indescifrables, había palabras que no estaban escritas en una antigua lengua egipcia sino en su propio idioma.

Cuando se juntaban, decían esto:

¿QUÉ CONVIERTE UNA PATA EN UNA PATATA?
¿Y SI BORRARAS EL FIN DE LA VIDA Y
LO SUSTITUYERAS POR LA REDONDA DE ALBOROZO?
AHORA TERMINA COMO HAS EMPEZADO.
PUES TU NOMBRE ES UN ESPEJO Y TÚ
ERES EL REFLEJO DE TODOS NOSOTROS.

—Es alguna clase de enigma, ¿no? —preguntó Cas, ladeando la cabeza para asegurarse de que lo había leído todo—. ¿Como el enigma de la Esfinge?

Max-Ernest no dijo nada. Tenía la frente arrugada, concentrado.

—¿Crees que si lo resolvemos tendremos la combinación?

—Sí. Déjame pensar —dijo Max-Ernest, molesto.

—Bueno, pues más nos vale darnos prisa, porque Benjamin Blake…

—¡Lo sé!

—«¿Qué convierte una pata en una patata?» —leyó Cas en voz alta.

—Quieres hacer el favor de…

—¿Ves cómo fastidia que la otra persona no pare de…? ¿Qué, lo has resuelto?

De pronto, Max-Ernest estaba sonriendo.

—Solo la primera frase.

—Vale, ¿y cuál es?

—Ta.

—¿Ta? ¿Qué es «ta»?

—La sílaba que convierte «pata» en »patata».

—No puede ser tan sencillo.

—Muchos enigmas son así. Ya debería saberlo: he descifrado más de diez mil.

—Vale, si tú lo dices —dijo Cas sin estar muy convencida—. ¿Cuál es la siguiente parte? El «fin de la vida» es como la muerte, ¿no? ¿Pero cómo sustituyes la muerte por alborozo? ¿Significa que te alegras de que alguien haya muerto? Supongo que si eres como la señora Mauvais o el doctor L…

—No lo sé. Si es como la primera parte, lo importante son únicamente las palabras, no lo que significan.

—¿Entonces qué es? ¡Benjamin podría estar muriéndose ahora mismo! ¡Y no creo que nadie vaya a sustituirlo por alborozo!

—Lo sé, lo sé. Tengo que pensar.

—Pues piensa rápido.

Max-Ernest se tapó los oídos para no oírla, pero volvió a destapárselos de inmediato.

—Espera. Lo tengo. Al menos, eso creo. Creo que es… «A».

—¿Qué quieres decir?

—El «fin de la vida» es la última letra de «vida», la «A». Y «la redonda de alborozo» es la «O».

—¿Son las letras? ¿Cómo lo has deducido?

—Hay muchas adivinanzas de letras. Como «En medio del mar me encuentro y a orillas del agua estoy, ¿sabes qué letra soy?» Es la «A», porque está en el centro de «mar» y al final de «agua». ¿Lo coges? La «A»…

—Vale, vale, lo cojo. Es una adivinanza tontísima. ¡No te desconcentres! Entonces, ¿T-A se convierte en T-O?

Max-Ernest asintió con la cabeza.

—«Ahora termina como has empezado…» —leyó.

—¿A lo mejor hay que empezar otra vez con «ta»?

—Quieres hacer el favor de… de hecho, puede que tengas razón —dijo Max-Ernest.

—¿Sí? ¿Entonces tenemos T-O-T-A? Eso no es una palabra.

—Probémoslo de todas formas.

Probaron dos veces la combinación, primero marcándola hacia la derecha. Luego, empezando por la izquierda. No funcionó de ninguna de las dos formas.

—Oh, espera… A ver —dijo Max-Ernest—. Se nos ha olvidad la última parte. «Pues tu nombre es un espejo y tú eres el reflejo de todos nosotros.»

Retomó su postura de pensador, volviendo a taparse los oídos. Cas se puso a taconear con impaciencia. Estaba intentando dejarle pensar, pero era muy difícil.

—Oye, Max-Ernest, ¿cómo se llamaba? ¿Te acuerdas de esa escritura invertida de que me hablaste?

—Palíndromos —dijo él, sin destaparse los oídos.

—Sí, ¿qué te parece?

—Podría ser —contestó Max-Ernest, hablando entre dientes—. Veamos, si fuera un palíndromo, no tendría la «A», con lo cual seguiríamos terminando como hemos empezado… supongo que entonces sería T-O-T, lo cual suena extraño, pero…

Cas refunfuñó.

—¿Y si solo podemos probar tres veces y luego la puerta se bloquea? Tenemos que asegurarnos de que esta combinación es la correcta. Me pregunto si habrá algún otro modo de entrar en la pirámide... ¿Qué? ¡Dímelo! ¡Dímelo! ¿Se te ha ocurrido algo más?

Max-Ernest estaba mirando fijamente la puerta

—¿Ves ese jeroglífico del centro? ¿Ese tipo con cabeza de pájaro? Estaba pensando que lo he visto en uno de los libros de alquimia.

—Y eso... ¿nos sirve de algo? —preguntó Cas, decepcionada.

Mientras Cas esperaba con impaciencia, Max-Ernest cogió rápidamente uno de los libros que había estado hojeando antes.

—Sí, aquí está —dijo Max-Ernest, leyendo deprisa. (¡Esta vez leyó en voz alta de verdad!)—. Pone que es el dios egipcio de la sabiduría y la magia y el inventor de la escritura. También es el dios de los muertos. Representado a menudo con cabeza de ibis; esa debe de ser la cabeza de pájaro de la puerta. Los alquimistas creen que se reencarnó como Hermes Trismeg... da igual, no sé pronunciarlo, pero fue el padre de la alquimia. ¿Qué te parece?

—Fascinante —dijo Cas.

Max-Ernest sonrió de oreja a oreja.

—Adivina cómo se llama el dios: ¡Tot! Así que esta vez hemos acertado.

—¿Tot? —repitió Cas, emocionándose.

—Tot.

—¿Tot?

—¡Tot!

—¡Tot Tot Tot Tot Tot! —lo imitó Cas, riéndose. Parecía que estuviera disparando con una ametralladora.

La puerta se abrió con un gratificante chasquido.

Estaban al principio de unas escaleras. Cas se llevó el dedo a los labios y Max-Ernest consiguió, por el momento, no decir nada.

Bajaron las escaleras en silencio hasta encontrarse en un pasadizo débilmente iluminado, tan estrecho que nuestros dos amigos tuvieron que avanzar en fila india.

—Debemos de estar debajo del foso —susurró Max-Ernest.

Cas asintió con la cabeza, pensando nerviosamente en su sueño de la pirámide. Comenzó a sentir claustrofobia.

No obstante, el pasadizo no era ni tan largo ni tan sinuoso como el de su sueño. En vez de eso, terminaba bruscamente: en una pared de piedra.

—Oh, genial —susurró Max-Ernest. ¿Y ahora qué?

Estaba a punto de dar media vuelta cuando vio que Cas estaba pegada a la pared, mirando por la mirilla de una portezuela secreta. Le dio un codazo y ella se apartó —un centímetro— para dejarle mirar.

Al otro lado de la puerta había una cámara inmensa: el interior de la pirámide.

VEINTINUEVE

UNA PUNCIÓN RAQUÍDEA POR LA NARIZ

La mirilla no les permitía ver toda la cámara de una sola vez, pero, cambiando de ángulo, pudieron componerla mentalmente como un collage.

El suelo estaba pavimentado con una piedra translúcida del color de un mar tropical y ocupaba mucha más superficie de la que uno habría creído posible desde fuera. Las paredes, que estaban revestidas de pan de oro, llegaban a la misma cúspide de la pirámide, donde había una claraboya abierta por la que entraba luz de la esfera del Sol de Medianoche. Un altar presidía el centro de la cámara y en él había una marmita de hierro (más pequeña que un Volkswagen Escarabajo pero más grande que la caldera de una bruja) donde ardía un fuego con las mismas llamas iridiscentes que las de la esfera.

Los asistentes rodeaban el altar por todos los costados, creando una especie de anfiteatro. Removiéndose en sus asientos, miraban el fuego con una suerte de sed, como animales desérticos acechando un oasis. Entre ellos, había unas cuantas personas que Cas reconoció como clientes del balneario, todas ellas miembros, al parecer, de aquel antiguo culto alquímico.

Aunque no podían verla, Cas y Max-Ernest oían la voz glacial de la señora Mauvais resonando hasta el mismo pasadizo donde ellos se encontraban. La pirámide tenía la acústica de un auditorio de primera. Pero la señora Mauvais no estaba presentando un concierto. Ni mucho menos.

—Sé lo impacientes que estamos todos por empezar —dijo—. Pero creo que tenemos un par de cumpleaños que celebrar esta noche.

Poniéndose de puntillas, Cas y Max-Ernest descubrieron que alcanzaban a ver fugazmente a la señora Mauvais de pie en el altar junto al fuego. Como de costumbre, iba vestida con ropajes dorados, pero ahora llevaba lo que parecía un tocado egipcio y se había perfilado los ojos con kohl negro. Podría haber sido Cleopatra dirigiéndose a sus súbditos.

—Roxana, cielo, ponte de pie, ¿quieres? Para que todos podamos ver tu hermosa cara…

Una joven —al menos, no parecía mucho mayor que una niña— se puso en pie y sonrió tímidamente a los asistentes.

—¿Cuántos años cumples hoy? ¿Noventa y siete? ¡Tan joven aún! Miradla. ¡No es más que una adolescente!

Los asistentes aplaudieron educadamente y Roxana se ruborizó. Luego se sentó.

—A ver, Itamar, querido, ¿dónde estás? —preguntó la señora Mauvais, al tiempo que miraba a los asistentes—. ¿Serías tan amable de hacer feliz a esta antigua alumna tuya y ponerte de pie?

Un anciano se levantó valiéndose de su bastón. Estaba blanco como un fantasma y era casi inexpresivo, como si la emoción humana le supusiera demasiado esfuerzo. Pero tenía los ojos vivos y despiertos; y llevaba un elegante traje negro de una hechura tan impecable que parecía sustentar por sí sola su osamenta.

—¡Hoy, Itamar cumple cuatrocientos ochenta y nueve años! ¡Cuatrocientos ochenta y nueve años! ¿Os lo podéis creer? Nuestro propio hombre del Renacimiento. Inclínate, Itamar.

La sala aplaudió con más entusiasmo esta vez. Itamar inclinó la cabeza, de forma casi imperceptible, y volvió a sentarse.

—Todos los que estáis aquí, todos los valientes aquí reunidos, sois testigos de nuestro éxito. Todos los años, nuestros elixires hacen más efecto y nuestras vidas se alargan más. Y no obstante —el tono de la señora Mauvais se ensombreció—, no obstante, debemos admitirlo, el triunfo definitivo sigue eludiéndonos. Nos autodenominamos señores del Sol de Medianoche, ¡pero seguimos sin dominar al sol! No hemos ganado... —En aquel punto, los ojos se le iluminaron y proclamó, moviendo ostentosamente el brazo—: ¡Hasta ahora!

En el pasadizo, Max-Ernest estaba negando con la cabeza.

—No es posible. No puede ser. Ciento cincuenta años quizá...

—¡Has visto su mano! —susurró Cas.

—Sí, pero la gente lo sabría. Estaría en los libros.

—Chist...

Los asistentes se habían quedado en silencio. El doctor L estaba ocupando su lugar al otro lado del fuego. Aquello era lo que todos habían estado esperando.

—Para un bebé, no hay cinco sentidos sino uno —anunció el doctor L en un tono que era en parte médico y en parte sacerdotal—. El mundo es una nebulosa de vista, sonido, olor, sabor y tacto, y quizá de sentidos que aún desconocemos. A medida que crece, los sentidos se separan unos de otros y olvidan que en otro momento han cantado la misma canción.

Mientras hablaba, miraba inquisitivamente a los asistentes, calibrando sus reacciones, asegurándose de que captaba toda su atención. Era como si aún fuera el artista de circo que había sido de niño. Y, no obstante, la bata blanca que vestía era más apropiada para un sacrificio ritual que para un truco de magia.

—Pensamos en este nuevo mundo como en la «realidad». Pero ¿y si la realidad es lo que hemos perdido? ¿Y si el mundo real era el mundo del bebé, un mundo donde todas las cosas y personas estaban interconectadas? —Se quedó teatralmente callado. Luego, señaló un punto detrás del fuego—. Hay unos pocos, como este niño, que conservan ese mundo, el mundo auténticamente real, durante toda su vida.

Max-Ernest contuvo un grito y Cas le tapó la boca con la mano.

El doctor L se había hecho a un lado, permitiendo que el fuego iluminara a su joven paciente. Benjamin estaba atado con correas a un artilugio extraño e intrincado que combinaba los peores atributos de una silla de dentista con los elementos más letales de una eléctrica. Tenía la cabeza calva inmovilizada en una posición poco natural y los párpados cerrados se le contraían continuamente. Un desordenado laberinto de tubos de vidrio lo circundaba como una sonda intravenosa larga y retorcida.

Parecía estar durmiendo, pero no descansando.

—Estas personas tienen la suerte de experimentar la vida como un arco iris de sensaciones llamado sinestesia —continuó el doctor L—. Sus cerebros son tesoros vivos. Porque encierran el Secreto que llevamos tanto tiempo buscando.

Como si quisiera ilustrar las palabras del doctor L, Benjamin tembló violentamente en su silla. En el pasadizo, Cas y Max-Ernest lo observaron, hipnotizados: era fácil imaginar que el cerebro de Benjamin estaba viendo cosas indescifrables.

—Durante siglos, nosotros, los seguidores de la Ciencia Verdadera, hemos buscado nuestra piedra filosofal fundiendo metales, mezclando sustancias químicas o excavando el suelo. Hemos mirado en todas partes salvo en el único lugar donde podríamos haberla encontrado: la mente del propio filósofo.

Alzó una vara. Era larga y fina y estaba doblada en un extremo. Parecía muy antigua.

—Con esta caña, los egipcios vaciaban los órganos internos de los difuntos. Nosotros la utilizaremos de un modo muy parecido, aunque esta noche no lo haremos para llevar a cabo una momificación. Bueno, no exactamente.

Los asistentes se rieron morbosamente, como si el doctor L estuviera describiendo un plato divertido pero suculento.

—Primero, nos introduciremos por los senos nasales. Luego, seguiremos subiendo para extraer líquido cefalorraquídeo del sistema ventricular del paciente…

El doctor L tocó con la caña el puente de la nariz de Benjamin; luego, trazó una línea hacia arriba hasta la nuca. Inconscientemente, Max-Ernest se tocó la cabeza. Recordó que el doctor L había pensado hacer lo mismo con él.

—Esencialmente, una punción raquídea por la nariz —resumió—. Para este niño, me temo que la muerte cerebral es casi segura. Pero creo que es un precio que merece la pena pagar. Porque lo que obtenemos a cambio es nada menos que la vida misma. La vida eterna.

Mientras decía aquellas palabras, se sacó un frasquito del bolsillo y vertió su contenido en el fuego que ardía junto a él. Las llamas se avivaron, adquiriendo una intensa tonalidad amarilla y, súbitamente, la pirámide se impregnó de olor a azufre.

—Vida eterna —repitió el doctor L.

—Cas —susurró Max-Ernest.

—Chist. Estoy pensando.

—Pero…

—Estoy intentando pensar en una forma de salvar a Benjamin. ¡Van a aspirarle los sesos de un momento a otro!

—Lo sé…

—¡Pues déjame pensar! Recuerda que yo te he dejado…

—Solo iba a decir… ese frasco, parece que lo haya cogido de la Sinfonía de Olores.

—¡Eso es!

—¿Qué?

—Así es cómo lo salvaremos. Venga, subamos hasta ahí. —Señaló la claraboya abierta de la cúspide de la pirámide.

Max-Ernest miró arriba.

—¿Hasta ahí? ¿Por dónde?

—Por fuera. ¡Anda, sígueme! —dijo Cas, volviendo ya sobre sus pasos.

Cuando llegaron al despacho de la señora Mauvais, Cas se detuvo para coger la Sinfonía de Olores.

—Creía que habías dicho que pesaba demasiado —dijo Max-Ernest.

—Es para mi idea...

Estaban a punto de salir del despacho cuando oyeron pasos viniendo hacia ellos.

Llevándose el dedo a los labios, Cas volvió a cerrar la puerta del despacho sin hacer ruido.

—¿Hola? ¿Hay alguien ahí? —gritó la voz de Daisy.

Se escondieron detrás del escritorio de la señora Mauvais, con el corazón aporreándoles los oídos. Si Daisy entraba, los descubriría, seguro.

—¿Señora Mauvais? ¿Doctor? —Daisy habló a través de la puerta del despacho—. Estoy... He ido a buscar alguna cosa de comer para esos críos. Volveré enseguida. Será solo un segundo...

La corpulenta mujer vaciló. Luego, al no oír nada, siguió su camino.

Cas y Max-Ernest respiraron.

—Creo que le ha dado miedo meterse en líos —susurró Cas, conteniendo lo que habría sido una risita en circunstancias más relajadas.

Un momento después, se encontraban delante del foso. El puente levadizo estaba izado.

—Oh, no —se lamentó Max-Ernest—. ¿Qué vamos a hacer ahora?

—Esto —dijo Cas, empujándolo al foso.

—¡Pero no sé nadar!

—No te hace falta. ¿Lo ves? ¡Haces pie!

—¿Ah sí?

El agua solo les llegaba a la cintura. Pero eso no impidió que Max-Ernest se quejara de estar ahogándose mientras lo cruzaban.

—¡Venga, date prisa! —dijo Cas—. ¡Benjamin va a entrar en muerte cerebral de un momento a otro!

Cuando llegaron a la otra orilla, comenzaron a subir por la pirámide sin esperar a estar secos.

Los escalones de piedra eran grandes y resbaladizos y a veces tuvieron que utilizar las manos para ayudarse. Pero, de algún modo, consiguieron llegar a la cúspide de la pirámide en menos tiempo del que a la mayoría nos llevaría subir las escaleras de casa.

—Dime, ¿cuál es el plan? —preguntó Max-Ernest, jadeando, cuando llegaron a la cúspide.

TREINTA
UN MENSAJE DE ARRIBA

Como has visto —u oído, según cómo quieras decirlo—, la acústica del interior de la pirámide era especialmente buena. Aquel era uno de esos sitios donde no quieres hacer ningún ruido embarazoso. Olvídate de los estornudos y las toses. Hasta el menor eructo para digerir el desayuno o la comida o el pedo menos ruidoso que tú crees que no va ponerte en evidencia podía oírse desde el otro extremo de la cámara.

Lo cual me lleva, por una vía algo desagradable, a lo que quería decirte.

El interior de la pirámide no era únicamente un espacio que amplificaba los sonidos. También era un espacio que amplificaba los olores. Con tantas personas en una sola cámara, ventilada únicamente desde arriba, el aire estaba un poco... bueno, cargado.

El olor a azufre, ese conocido hedor a huevos podridos, seguía impregnando el aire cuando la señora Mauvais se colocó delante del fuego y alzó los brazos, con las largas mangas colgándole como alas doradas. Pareció dirigirse al mismo cielo cuando gritó:

—¡Hermes Trimegisto! ¡Escúchame!

Con la totalidad de público pendiente de ella, muy pocos asistentes se fijaron en el pequeño objeto —un frasco de vidrio, de hecho— que cayó de la nada como si fuera una respuesta a sus palabras. Y solo un número ligeramente mayor se fijó en la pequeña llamarada violeta que brotó de la marmita cuando el frasco cayó en ella.

Pero casi todos percibieron el olor penetrante y desagradable que inundó la cámara. Este fue seguido de un fuerte olor floral cuando Cas arrojó otro frasco al fuego. La mayoría miraron acusadoramente a sus vecinos, como si alguien llevara un perfume especialmente oloroso.

El doctor L, que estaba inclinado sobre Benjamin, preparando sus ventanas nasales para la operación, alzó brevemente la cabeza y olisqueó el aire. Luego volvió a concentrarse en su paciente, sacando presumiblemente la misma conclusión.

La señora Mauvais no pareció darse cuenta de nada.

—Los egipcios te llamaron Tot. Los griegos te llamaron Hermes. Los romanos, Mercurio —recitó, con los brazos aún alzados en actitud suplicante.

El próximo frasco en caer del cielo —esta vez lo vieron unas cuantas personas más— causó una chisporroteante llama parda al caer al fuego. Inundó la cámara de un agradable olor dulzón que enseguida fue sustituido por la fragancia fresca y aromática producida por el siguiente frasco en caer, la cual habrías reconocido como orégano si fueras un adicto a la ensalada griega.

Una vez más, el doctor L alzó la cabeza, pero esta la vez la mantuvo erguida un rato más e inhaló profundamente. Luego, negó con la cabeza, como si quisiera ahuyentar alguna siniestra fantasía, y comenzó a hurgar con la caña en la nariz de Benjamin. Estaba a punto de iniciar la operación.

La señora Mauvais solo titubeó brevemente antes de continuar.

—Hermes Trimegisto, ahora apelamos a ti. ¡Cédenos por fin tu Secreto!

Al caer el quinto frasco, varias personas lo señalaron, dejando de prestar atención al altar. Cuando una llama de color oscuro brotó del fuego, toda la cámara contuvo un grito. Y, mientras las volutas de humo negro impregnaban el aire de olor a regaliz, todo el mundo olisqueó simultáneamente el aire. El olor a rododendro producido por el siguiente frasco se mezcló armónicamente con el anterior.

Entonces, la cámara entera estalló en aplausos. Todo aquello formaba parte de la actuación del doctor L. O eso supusieron todos.

También el doctor L había dejado de concentrarse en la inminente operación. Pero no estaba aplaudiendo. Parecía aturdido, casi indispuesto, como si acabaran de darle una noticia horrible.

—¿Qué está pasando? —le preguntó la señora Mauvais con preocupación—. ¿Quién está haciendo esto?

En la cúspide de la pirámide, Max-Ernest miró a Cas emocionadísimo—. ¡Está funcionando! ¿Qué te parece? ¡Ahora haz la «O»!

—No veo…

—Eran los orejones, ¿te acuerdas? S-O-C-O-R-R-O. Saúco. Orquídea. Caramelo. Orégano. Regaliz. Rododendro. Orejones.

—Ya sé que eran los orejones. El frasco no está. Tenía que ser el número veinte.

Cas le enseño la caja abierta de la Sinfonía de Olores y señaló el hueco. Max-Ernest se puso a dar rápidamente la vuelta al resto de los frascos, leyendo las etiquetas.

—Tiene que estar aquí. Tiene que...

—¡Oh, espera! —dijo Cas. Abrió bruscamente su mochila, se puso a rebuscar en el fondo y sacó una bolsita de cierre hermético llena de su mezcla energética. Dentro, había unos cuantos orejones troceados. Se los enseñó a Max-Ernest.

—¿Crees que funcionará?

—No lo sé. No parece suficiente cantidad. Pero ¿y si los mezclas con uno de los otros? —Observó los frascos y sacó uno—. Ten. Sabor a melocotón.

—Prueba tú.

—¿Yo?

Cas asintió con la cabeza.

Max-Ernest metió los orejones troceados en el frasco y lo sostuvo sobre la claraboya.

—¡Ahí va! ¡Oh, no!

En su nerviosismo, lo soltó antes de lo que pretendía.

El frasco se desvió hacia un lado y pareció que iba caer fuera del fuego.

En el último segundo, dio con el borde de la marmita y cayó dentro.

Cas y Max-Ernest contuvieron el aliento hasta que vieron brotar una llamarada amarillenta de la marmita. De pronto, la cámara se inundó de olor a orejones, no tan fuerte como las otras fragancias, pero sí lo bastante como para ascender hasta la claraboya.

Nuestros dos amigos suspiraron aliviados.

Abajo, el doctor L trastabilló como si le hubieran disparado.

—*Pietro! Fratello mio! Vieni qua!* —gritó—. *Quanto tempo devo aspettare?* ¿Dónde estás? ¡Háblame!

Totalmente fuera de sí, se puso a dar vueltas alrededor del altar. Luego, miró hacia la claraboya.

Cas y Max-Ernest apartaron la cabeza para que no los viera.

—¿Crees que nos ha visto? —preguntó Max-Ernest, presa del pánico.

—No. Cree que somos su hermano. Seguro.

Como si quisiera subrayar el comentario de Cas, el doctor L volvió a gritar el nombre de su hermano.

—*Pietro! Pietro!*

—¿De veras es él? ¿Estás seguro? —preguntó la señora Mauvais, casi tan alterada como el doctor L—. ¿Puede haber sobrevivido?

El doctor L no respondió. Se alejó corriendo del altar y salió de la cámara.

—Sed tan amables de mantener la calma. Todo va bien. Enseguida volvemos —dijo la señora Mauvais dirigiéndose a los asistentes. Luego, corrió tras él.

—Venga. Tenemos que bajar —dijo Max-Ernest, a punto de empezar a hacerlo por el lado de la pirámide.

—Sí, pero no por ahí.

Cas volvió a meter la mano en su mochila y sacó una cuerda. Con rapidez y profesionalidad, la enrolló alrededor de uno de los soportes de acero de la esfera y la aseguró con dos nudos como el abuelo Larry le había enseñado en una ocasión.

Luego, arrojó el cabo suelto por la claraboya. La cuerda se quedó colgando por encima del fuego, justo fuera del alcance de las llamas. Intentó no mirar abajo.

Max-Ernest sí miró abajo, paralizado.

—Es nuestra única forma de llegar abajo antes de que nos alcancen —dijo Cas, con más calma de la que sentía.

Max-Ernest se limitó a negar con la cabeza.

—Será fácil. Colúmpiate un poco cuando llegues a la altura del fuego. Luego, salta cuando no lo tengas debajo.

Max-Ernest volvió a negar con la cabeza.

—Vale. Pues deja que te cojan. Yo voy a bajar.

—¿Quieres decir sin mí?

Sin responder, Cas se metió por la claraboya. Sabía que, si vacilaba, jamás lo haría.

Mientras pensaba si seguirla o no, Max-Ernest recorrió la cuerda con la mirada…

—¡Cas! ¡Para! ¡Mira!

Cas miró abajo: el extremo de la cuerda se había prendido y, como en una mecha, las llamas estaban avanzando hacia ella. De un momento a otro, la alcanzarían y ella caería para ser devorada por el fuego.

Lo extraño era que no estaba muerta de miedo. O sí que lo estaba, pero era como si la parte de ella que se moría de miedo fuera otra persona —una niña gritando a su lado—, mientras ella decidía qué hacer. Era una superviviente, se recordó; aquello era para lo que se había estado preparando.

Intentó recordar qué había aprendido en el gimnasio sobre cómo enroscarse una cuerda alrededor de la pierna para sujetarse, pero solo consiguió resbalar otro palmo más.

Así que abandonó la técnica y recurrió a su instinto.

Si alguna vez has subido por una cuerda, ya sabes que es mucho más difícil que bajar por ella. No obstante, la posibilidad de quemarse vivo es un poderoso incentivo. En cuanto Cas comenzó a notar calor en los pies, volvió a subir por la cuerda y se alejó de la claraboya rodando por el suelo.

—Caray. Casi contribuimos a la Sinfonía de Olores —dijo Max-Ernest, con aspecto de ser él quien había estado a punto de morir quemado.

—Muy gracioso —dijo Cas, tumbada boca arriba y respirando aún con dificultad.

Entonces se rió.

—De hecho, ha sido bastante gracioso. Es perverso. Pero gracioso.

—¿De veras? ¿Lo ha sido?

—Ajá.

—Entonces, ¿he hecho un chiste? —preguntó Max-Ernest, comenzando a sonreír—. ¿Qué te parece?

—Sí, y para eso, yo casi he tenido que morirme —dijo Cas, sentándose.* Y le devolvió la sonrisa para demostrarle que no estaba enfadada.

* Hablando en serio, ¿es eso lo que hace que algo tenga gracia? ¿La amenaza de la muerte? Aunque aquí creo que tiene más que ver con la conexión especial que se crea entre dos personas que han vivido la misma experiencia, una experiencia que, en este caso, ha sido muy peligrosa y excepcional. «Insuficiente para uno, ideal para dos y excesivo para tres», compartir un chiste es a veces como compartir un secreto.

—Por cierto, gracias por salvarme la vida.

—No hay de qué —dijo Max-Ernest, como si no fuera gran cosa. Pero sí era gran cosa. Cas no daba las gracias muy a menudo.

—En realidad, no quería bajar sin ti. Creía que me seguirías —añadió—. Pero no tendría que haber bajado. Dado que somos colaboradores y eso. Lo siento.

—No te preocupes —dijo Max-Ernest, como si aquello tampoco fuera gran cosa. Pero sí lo era. Cas pedía disculpas incluso menos a menudo de lo que daba las gracias.

Abajo, el fuego se había propagado hasta las paredes de la pirámide. La gente chillaba y corría hacia las salidas. Reinaba el caos.

—Vale, bajemos —dijo Cas—. Por donde has dicho tú.

—Espera. ¿Y si está subiendo el doctor L?

Se asomaron por el lado de la pirámide.

En efecto, el doctor L estaba subiendo los escalones de piedra a todo correr, con la señora Mauvais a solo unos pasos detrás de él.

—*Pietro! Pietro!* —gritaba.

Solo tenían una alternativa: bajar por el otro lado.

TREINTA Y UNO
HUMO

Cuando llegaron abajo, vieron la silueta del doctor L en la cúspide de la pirámide. A sus espaldas, la claraboya escupía humo y fuego.

—Oye, al final parece que hemos construido un volcán —dijo Max-Ernest, señalando la pirámide—. A lo mejor podemos presentarlo como trabajo de curso. ¿Qué te parece? —Miró a Cas para ver si también se reía de aquel chiste. Pero ella no lo había oído.

Estaba mirando al doctor L, que tenía algo en las manos…

—¡Mi mochila!

—No puedes preocuparte por eso ahora. Tenemos que correr —dijo Max-Ernest, lo cual, si lo piensas, era totalmente razonable dadas las circunstancias.

—¡Pero la Sinfonía de Olores está dentro!

—Venga, tenemos que correr —repitió Max-Ernest en un tono un poco más urgente.

—Lo sé, es solo que... ¡sabrá que somos nosotros!

—¡Venga! —volvió a repetir Max-Ernest, casi chillando en esta ocasión.

—Vale, vale. Van a oírte...

Cas y Max-Ernest corrieron por la orilla del foso hasta llegar a la entrada principal de la pirámide. Estaban saliendo los últimos rezagados y nuestros amigos tuvieron que sortearlos para entrar.

Cuando llegaron al altar, la cámara estaba vacía.

Las llamas habían ascendido por la cuerda de Cas como si fuera un gigantesco candelero. El fuego amenazaba ahora con engullir la pirámide entera. El olor a azufre era tan fuerte que casi no podía soportarse.

El alboroto había despertado por fin a Benjamin Blake. Estaba mirando las llamas que tenía delante, con evidente expresión de desconcierto y terror.

—Hola Ben. Intenta relajarte, ¿vale? Vamos a sacarte de aquí —dijo Cas con una dulzura sorprendente.

En respuesta, Benjamin farfulló algo que parecía una pregunta, aunque era totalmente indescifrable.

O lo habría sido para cualquiera que no fuera Max-Ernest.

—Estás dentro de una pirámide —le respondió mientras Cas comenzaba a desabrochar las correas que lo ataban a la silla—. No es una pirámide auténtica, bueno, la verdad es que sí que lo es, en cierto modo. Tiene forma de pirámide auténtica. Pero no está en Egipto. Ni en ningún otro sitio donde tienen pirámides, como México o Perú. En fin, la pirámide está ardiendo, como puedes ver, y fuera hay gente que te quiere aspirar los sesos. Pero no te preocupes. ¡No va a pasarte nada! —concluyó en el tono más tranquilizador de que fue capaz.

Cas desabrochó la última correa y Benjamin se cayó al suelo. Lo que el doctor L le había hecho, fuera lo que fuera, lo había debilitado mucho.

Cas y Max-Ernest lo levantaron con dificultad. Cuando lograron ponerlo de pie, él volvió a farfullar.

—¿Qué dice ahora? —preguntó Cas.

—No lo sé. ¿Algo sobre helado de menta con chocolate?

—Conseguiremos helado más tarde, un montón —dijo Cas a Benjamin—. Pero ahora tienes que andar, ¿vale? Deprisa.

Cas y Max-Ernest lo llevaron hacia la entrada mitad cargándolo, mitad arrastrándolo y mitad empujándolo. (Ya lo sé, son tres mitades, lo cual es imposible, pero también lo era sacarlo de allí.)

Cuando estuvieron cerca de la puerta, Benjamin comenzó otra vez a farfullar y a negar con la cabeza.

—Dice que tenemos que parar. Hay humo. No podemos salir por esa puerta —dijo Max-Ernest.

—Pero el fuego está dentro, no fuera.

—Dice que no es esa clase de humo. Es humo gris. El humo es… ¿la señora Mauvais? ¿Es eso, Benjamin?

Benjamin asintió con la cabeza tan vigorosamente como se lo permitió su estado.

Entonces oyeron los gritos de la señora Mauvais fuera de la pirámide.

—¿Cómo has podido ser tan estúpido? ¡Tragarte un truco como ese!

—¡Cállate! ¡O te mataré también a ti, justo después de cargarme a esos malditos críos! —le gritó el doctor L.

Los niños retrocedieron hasta la puerta trasera de la pirámide.

La cerraron detrás de ellos justo cuando el doctor L y la señora Mauvais entraban en la pirámide.

Benjamin dijo algo entre dientes.

—Ha dicho «uf» —informó Max-Ernest.

—Sí, lo sé. Esta vez lo he entendido —dijo Cas.

Por la mirilla, vieron a la señora Mauvais recorriendo la cámara con la mirada, buscándolos. Detrás de ella, el doctor L sujetaba la mochila de Cas como si estuviera a punto de hacerla pedazos.

—Venga —dijo Cas—. ¡Antes de que nos vean!

Tosiendo, los niños corrieron por el pasadizo lleno de humo. Las luces se encendían y se apagaban sin cesar.

—Mantened la cabeza baja. Así no respiraréis tanto humo —instruyó Cas.

En la biblioteca, los libros ya estaban empezando a quemarse. Diminutos trozos de texto se elevaban en el aire conforme se convertían en cenizas. Retratos de monstruos medievales eran pasto de las llamas. Y pedazos de alas de murciélago dibujadas surcaban el humo. Había sido la mejor biblioteca mundial de su clase. Ahora desaparecería para siempre. Y nadie se paraba siquiera a mirar.

Cuando lograron sacar a Benjamin de la pirámide, Cas y Max-Ernest estaban casi tan agotados como él.

A su alrededor reinaba el caos.

El complejo entero ardía en llamas y los clientes corrían despavoridos en todas direcciones, haciendo caso omiso de los esfuerzos de los empleados para dirigirlos en una sola dirección. Dos caballos, ahora sin jinete, se encabritaron y corrieron hacia el humo.

—Por aquí —susurró Cas con urgencia—. Venga, cogedme las manos para no separarnos. —Ofreció una mano a Max-Ernest y la otra a Benjamin y los tres se dirigieron a la entrada del balneario.

Con tanto alboroto, nadie pareció preocuparse especialmente al verlos zigzaguear entre la multitud.

Cuando pasaron por delante de su habitación, Cas señaló un cuerpo tendido en el suelo junto a la puerta. Era Daisy, amordazada y atada en el lugar de Owen.

—¡Seguro que se ha llevado una buena sorpresa! —exclamó Cas en tono admirativo—. Me pregunto cómo demonios se habrá soltado Owen. Si no recuerdo mal estaba muy bien atado.

Dijo adiós a Daisy con la mano. La conductora la fulminó con la mirada mientras intentaba soltarse.

Las verjas abiertas se alzaban ante ellos. Estaban a pocos segundos de escapar.

Entonces oyeron a Daisy chillando:

—¡Detenedlos! ¡Tienen al niño! ¡Cerrad las verjas!

En alguna parte, alguien la obedeció: las verjas se cerraron.

Docenas de empleados furiosos comenzaron a correr hacia ellos.

Se dieron la vuelta. La pirámide estaba ardiendo. No podían volver sobre sus pasos.

La enfebrecida multitud gritó «¡Cogedlos!», «¡No los dejéis escapar!» y «¡Arrojadlos al fuego!»

Y entonces oyeron un motor de coche.

Se prepararon para lo peor: la limusina del Sol de Medianoche venía disparada hacia ellos.

—¿Qué era lo que se dijeron los hermanos Bergamo? —preguntó Max-Ernest—. ¿Cuando pensaban que el león se los iba a comer?

—*Arrivederci*. —Cas le apretó la mano.

La limusina se paró con un chirrido de neumáticos, quedándose a solo unos centímetros de ellos.

—¡Cas! ¡Max-Ernest! ¡Subid!

Los niños tardaron un segundo en darse cuenta de que era Owen quien estaba asomado a la ventanilla, hablando ahora con acento irlandés.

Y otro segundo en darse cuenta de que no estaban atrapados, sino a punto de salvarse.

Cas y Max-Ernest apenas habían podido montar a Benjamin en el interior de la limusina cuando Owen comenzó a dar marcha atrás.

—Has llegado en el momento justo —dijo Cas.

—Sí. Así es —dijo Owen, con lo que podría pasar por una pícara sonrisa irlandesa.

Cas y Max-Ernest miraron por la luna trasera de la limusina y vieron que el doctor L y la señora Mauvais acababan de rodear la pirámide.

—¡Detened esa limusina! —gritó la señora Mauvais—. ¡Ahora!

Pero, para entonces, el fuego se había propagado desde el puente a los edificios exteriores y tanto los empleados como los clientes estaban huyendo despavoridos.

—¡Si no los perseguís, os cerraré el grifo! ¡Ya no habrá más elixires!

Nadie le hizo caso.

Cuando la limusina embistió las verjas del balneario, la señora Mauvais cerró los puños con frustración. Su piel perfecta estaba tan estirada que parecía que la cara se le fuera a partir por la mitad.

Indignado, el doctor L arrojó la mochila de Cas a las llamas.

Dentro de la limusina, Cas hizo una mueca como si se estuviera quemando una parte de ella.

Owen condujo por las oscuras carreteras de montaña a una velocidad de vértigo, convencido de que los seguían.

Pero, poco a poco, él y sus pasajeros comenzaron a relajarse. Y el viaje empezó a parecerse más a un paseo en coche y menos a una fuga de una cárcel.

—¿Vas a seguir hablando como si fueras irlandés? —preguntó Cas—. Solo quiero saberlo, porque, si conozco a alguien que habla en alemán, en rastafari o en lo que sea, quiero saber si puede tratarse de ti.

—Así que estoy actuando, ¿no? ¿Crees que no soy verdaderamente irlandés?

—Sí, estoy casi convencida.

—Es una chica lista, ¿verdad? —dijo Owen, volviéndose para mirar a los otros. Max-Ernest asintió con la cabeza, sonriendo.

Owen miró a Benjamin.

—Así que este es Ben, ¿no? ¿Qué es de tu vida, Ben? Parece que estés en otro planeta. ¿Qué drogas te han dado ahí dentro?

Benjamin gruñó incoherentemente.

—Dice que no le han dado nada —tradujo Max-Ernest—. Es por cómo conduces.

—¿Ha dicho eso?

—No, solo ha sido una broma —aclaró Max-Ernest.

—No tiene gracia —dijo Owen.

—Pues a mí me ha hecho gracia —dijo Cas, y se rió.

—¿De veras? —preguntó Max-Ernest.

Cas asintió con la cabeza.

Max-Ernest sonrió alegremente.

—¿Qué te parece?

Cas se dirigió a Benjamin.

—¿Sabes una cosa? El helado de menta con chocolate es mi preferido. Pronto nos podremos comer uno. Te lo prometo.

Benjamin sonrió, y se quedó dormido.

Hasta Cas y Max-Ernest empezaron a adormilarse conforme se les disipaba la adrenalina generada por los acontecimientos de aquella noche.

Informándoles de que llevaba meses sin poder escuchar música «de verdad», Owen puso música hip hop a todo volumen con unas letras que los niños se alegraron de que sus padres no estuvieran allí para escuchar.

Con lo cerradas que eran las curvas, era imposible que hubieran visto un vehículo que estuviera a más de unos metros por delante de ellos; con la música puesta a tantos decibelios, tampoco lo habrían oído.

Así pues, fue casi un milagro cuando Benjamin se incorporó en sueños y gritó, con una voz clarísima:

—¡Alto!

Owen frenó en seco. La limusina se paró con una sacudida.

A unos metros por delante de ellos, había una camioneta cruzada en la estrecha carretera, tocando fuertemente la bocina.

—¿Quiénes son? ¿Son del balneario? —preguntó Max-Ernest, ahora totalmente despejado.

—Bueno, no vamos a quedarnos para comprobarlo, ¿verdad? —dijo Owen—. ¡Sujetaos! ¡Esperemos que a esta limusina le gusten los topetazos!

Comenzó a dar marcha atrás.

Entonces, a los bocinazos se sumaron unos ladridos familiares y extremadamente fuertes.

—¡Espera! —dijo Cas—. ¡Es Sebastian!

Owen pisó de nuevo el freno y todos volvieron a mirar la camioneta. Junto a ella, estaban los abuelos Larry y Wayne, moviendo las manos como locos.

TREINTA Y DOS
UN FINAL A TU GUSTO

Solo los malos libros tienen buenos finales.

Si un libro es bueno, su final siempre es malo, porque uno no quiere que el libro termine.

Lo que es más importante —más importante para mí, en todo caso—, los finales son difíciles de escribir.

El autor intenta poner fin al relato, mostrando cómo han crecido sus personajes, remendando cualquier roto de la trama y poniendo énfasis su idea principal, ¡todo en un solo capítulo!

No, en serio. Inténtalo.

Porque yo no voy a hacerlo.

(Te daré una pista sobre la idea principal de este libro: no guarda ninguna relación con el valor del esfuerzo. No es «Si no lo consigues a la primera, sigue intentándolo» ni nada honorable ni edificante como eso.)

Oh, no voy a dejarte enteramente en vilo. Hay niveles de crueldad de los que ni tan siquiera yo soy capaz.*

Como material de escritura, voy a proporcionarte unos cuantos incidentes clave: cosas que sucedieron después de que Cas y Max-Ernest fueran rescatados y habría que incluir en el final de este libro, si tuviera un final.

Para facilitarnos las cosas a los dos, voy a organizar el material basándome en los personajes del relato. Cuando estas páginas caigan en tus manos, podrás reorganizar los acontecimientos como te parezca más conveniente.

Owen

Deshagámonos primero de él.

Lo que yo imaginaría para Owen sería una conmovedora escenita de despedida donde él toma el pelo a los niños por haberlo atado y les dice que más les vale tener cuidado porque va a tomarse la revancha cuando menos se lo esperen. Luego se marcharía bajándose el ala del sombrero, prometiéndoles más aventuras futuras.

Todo eso, no lo olvides, con un nuevo acento que sea divertido —chino, por ejemplo, o ruso.

¿Te gusta la escena? Por favor, utilízala.

Pero eso no sucedió.

* Cuando tomes las riendas de este capítulo, deberías probablemente reescribir la última frase como «Hay *grados* de crueldad de los que ni tan siquiera yo soy capaz». Los profesores puristas prefieren «grado» a «nivel» en este contexto. Aunque, por otra parte, no deberías enseñar este libro a ningún profesor.

Lo que sucedió en realidad es que Owen se marchó en cuanto supo que los niños estaban a salvo con los abuelos de Cas. Lo hizo con tanto disimulo que nadie se dio cuenta hasta que la limusina ya no estaba. No puedo decir por qué no se despidió —no fue muy cortés e hirió los sentimientos de Cas más de lo que ella habría querido admitir—. Puede que no quisiera entrometerse en el reencuentro de Cas con sus abuelos. O puede que no supiera elegir el acento correcto para despedirse. O puede que los espías sean simplemente así.

Los abuelos

Si no te importa, me saltaré la parte del final donde Sebastian se baja de la camioneta de Wayne, corre hacia Cas y empieza a lamerle la cara.

Y donde Cas abraza a sus dos abuelos por separado, luego a la vez y luego otra vez por separado.

Y donde les dice que lo sabía, que estaba segura de que vendrían, y deduce (correctamente) que los padres de Max-Ernest les han dicho dónde debían ir.

Y, si no te importa, me saltaré la parte donde los niños se suben a la parte trasera de la camioneta del abuelo Wayne, el grupo se pone en camino y todo el mundo está cansadísimo pero felicísimo.

Tú ya sabías que iban a ocurrir todas esas cosas en cuanto Cas oyó los ladridos de Sebastian.

Pero hay un acontecimiento que sucedió de camino a casa —bueno, en verdad, fue más bien una conversación— del que me gustaría hablarte.

Imagínate una vieja gasolinera de carretera. El abuelo Wayne estaba sentado en el asiento del conductor, estudiando un mapa, mientras el abuelo Larry llenaba el depósito de gasolina. Cas y Max-Ernest estaban sentados detrás con Benjamin, que dormía junto a ellos envuelto en una manta tan andrajosa que debía de pertenecer a Sebastian. Sebastian, entretanto, estaba abajo junto al abuelo Larry, olfateando la gasolina que impregnaba el aire como si fuera un manjar exquisito.

Ya habían repasado los acontecimientos sucedidos en el Sol de Medianoche cinco o seis veces cuando Max-Ernest miró a Cas y dijo:

—Supongo que mi médico estaba equivocado.

—¿En qué? —preguntó Cas.

—En que solo eres una superviviente porque a tu padre lo mató un rayo y en verdad no te importa salvar a la gente. Porque lo cierto es que lo has hecho. —Señaló a Benjamin.

—Sí, supongo —dijo Cas, pareciendo extrañamente insegura.

—Un rayo, ¿eh? —preguntó el abuelo Larry enarcando una ceja. Por lo visto, había estado escuchando desde el surtidor de gasolina.

—¡Tú no sabes nada! —dijo Cas, con las orejas enrojecidas.

—Bueno, sé bastante de historias, y me encantan —dijo diplomáticamente Larry, volviendo a subirse a la cabina de la camioneta.

Dentro de la cabina, susurró algo al oído de Wayne. Él asintió sombríamente con la cabeza y puso la camioneta en marcha.

—Supongo que debería decírtelo, ahora que estamos vivos y eso —dijo Cas, hablando a Max-Ernest pero mirando a sus abuelos—. En verdad, no te lo he contado todo, sobre mi padre.

—¿Te refieres a que hay más, aparte de que lo matara un rayo? —preguntó Max-Ernest con los ojos como platos.

—Bueno, no sé si en verdad lo mató un rayo. —Cas vaciló—. De hecho, ni siquiera sé si está muerto.

—¿Quieres decir que te lo has inventado? —preguntó Max-Ernest, incrédulo.

—Lo oí en televisión...

Max-Ernest se quedó mirándola; luego, le sonrió de oreja a oreja.

—Entonces, básicamente, me has mentido —dijo, como si aquello fuera una noticia estupenda—. ¡Eso compensa que yo se lo contara a mi médico! ¡Estamos empatados! ¿Qué te parece?

—No hace falta que te alegres tanto.

—Entonces, ¿quién es tu verdadero padre? —preguntó Max-Ernest al cabo de un momento.

—No lo sé —dijo Cas sin inmutarse.

—¿No lo sabes? ¿No te lo ha dicho tu madre? —Max-Ernest no pudo disimular su asombro.

Cas negó con la cabeza.

—Bueno, ¿se lo has preguntado alguna vez?

—Sí, cuando era pequeña. Pero ella siempre me decía que me lo diría cuando fuera mayor. Y, desde entonces, no sé, me da miedo preguntárselo. Como si hacerlo fuera a herir sus sentimientos o algo así.

—Bueno, creo que deberías volver a preguntárselo...

—Déjala en paz —dijo el abuelo Larry, asomándose por la ventanilla—. Se lo preguntará cuando esté preparada.

—Vale —dijo Max-Ernest—. Solo estaba diciendo...
Pero no dijo nada más.

La madre de Cas

Como puedes imaginarte, la madre de Cas se preocupó muchísimo en cuanto Cas no respondió cuando ella la llamó a su teléfono móvil a la hora habitual. Orgullosa de su autocontrol, esperó un minuto entero antes de llamar a los abuelos de Cas para preguntarles dónde estaba. Cuando no pudo localizarla, se fue calmada y racionalmente al aeropuerto, y se puso a gritar como una energúmena hasta conseguir montarse en el primer avión.

Esa noche, cuando la camioneta del abuelo Wayne llegó al parque de bomberos, se cruzó con un taxi que se marchaba. La madre de Cas estaba en la puerta. La mirada se le endureció al ver que su hija se bajaba de la parte trasera de la camioneta.

—¡Casandra! ¿Qué estás haciendo ahí detrás? ¿Sabes lo peligroso que es? Además de estar prohibido. Y vosotros dos —dijo, señalando a los abuelos de Cas—. ¡Lo prometisteis!

Bueno, en mi opinión, que la madre de Cas se enfadara porque Cas fuera en la parte trasera de la camioneta —cuando su hija había estado haciendo cosas infinitamente más peligrosas no hacía mucho tiempo— es a la vez divertido y realista. Pero quizá prefieras obviar este detalle y pasar directamente a lo siguiente:

Y entonces la madre de Cas —ya no pudo contenerse más— abrazó a su hija y no la soltó durante un minuto y medio. (Sé que no parece mucho tiempo, pero cuéntalo: un minuto y medio es un abrazo larguísimo.)

—Te he echado tanto de menos —dijo.

—Yo también —dijo Cas.

Y entonces Cas —no pudo evitarlo— lloró por primera vez desde el inicio de sus aventuras, como si hubiera estado ahorrando sus lágrimas y ahora las estuviera gastando todas de golpe.

Los padres de Max-Ernest

Los padres de Max-Ernest son personajes secundarios que sirven principalmente como toque cómico. (Cómico para nosotros, quiero decir. Para Max-Ernest, naturalmente, no eran nada divertidos.) No obstante, se merecen una mención:

Cuando regresó aquella noche, Max-Ernest imaginaba que sus padres tendrían muchas preguntas que hacerle. Él empezó a explicarse, pero ellos lo detuvieron.

—No, no digas nada —dijo su padre.

—No, ni una palabra —dijo su madre.

Durante la ausencia de Max-Ernest había sucedido una cosa extraña: su desaparición había acercado a sus padres. Su preocupación por su hijo los había instando a superar sus diferencias. Y a tomar la decisión de separarse.

A partir de ese momento, le prometieron que iban a ser padres divorciados normales. Cada uno tendría su casa, separada de la del otro.

—Sabemos que te has escapado para mandarnos un mensaje —dijo su padre.

—Y lo hemos captado perfectamente —dijo su madre.

Max-Ernest juzgó que lo mejor sería no corregirlos.

Amber

No hay ninguna razón en absoluto para mencionar a Amber a estas alturas del relato. Pero ella se enfadaría muchísimo si no lo hiciéramos.

Aunque no lo diría. Siendo la niña más simpática de la escuela, probablemente diría que le parecía «perfectísimo. Yo tampoco os incluiría en mi libro».

Me retracto. Hay una razón para mencionar a Amber. Aunque solo sea para dejar constancia de lo que Cas le dijo la siguiente vez que le ofreció su Besito.

Cas dijo: «No».

Una palabra muy corta, es cierto, pero, para Cas, fue muy importante.

La señora Johnson

Si el doctor L y la señora Mauvais son los auténticos villanos de este relato, ¿qué es entonces la señora Johnson? Si tuviera que escoger, yo diría que la señora Johnson representa «la ley». Es el agente de policía en el mundo de nuestro libro, quien dicta las normas y castiga cuando se incumplen.

Lo cual nos acerca un poco más al final de este final.

A estas alturas, te estarás preguntando cuánto confesaron Cas y Max-Ernest de su viaje al Sol de Medianoche.

La respuesta es: todo y nada.

Lo intentaron, desde luego.

Pero, cada vez que describían su experiencia, las reacciones oscilaban entre el escepticismo cortés y la incredulidad total.

Cabría pensar que Benjamin Blake podía haberles sido de alguna ayuda. ¿Por qué habría de tener la cabeza afeitada, preguntaba Cas, si nadie había querido aspirarle los sesos? Pero la gente no lo veía de ese modo. Había muchas razones, decía. Para parecerse a un músico de rock, por ejemplo. O a lo mejor tenía piojos.

Para frustración de nuestros protagonistas, Benjamin solo conservaba unos recuerdos vaguísimos de su calvario. Por lo que era posible entender de su confusa descripción, Cas y Max-Ernest se lo habían llevado de viaje a Egipto, donde se habían sentado alrededor de una hoguera y habían comido helado de menta con chocolate.

Al día siguiente de que Cas y Max-Ernest regresaran, una brigada de bomberos e investigadores policiales fue a investigar el balneario y los niños esperaron su informe llenos de esperanza. Pero el fuego lo había arrasado. Increíblemente, no había más supervivientes aparte de ellos. O no había más supervivientes dispuestos a identificarse. Era como si el Sol de Medianoche no hubiera existido jamás. Los investigadores solo dijeron que sospechaban que el incendio había sido provocado.

Después de oír el informe policial, la gente ya no ponía únicamente en duda el relato de Cas y Max-Ernest; ahora, sospechaba abiertamente de ellos.

En un libro más emocionalmente satisfactorio que este, la directora habría llorado cuando Cas regresó. Se habría disculpado por haber dudado de ella y le habría suplicado que la perdonara. Se habría organizado algún tipo de asamblea para celebrar el regreso de los tres alumnos, y Cas y Max-Ernest podrían incluso haber recibido medallas, por «la mejor superviviente» y «el mejor descifrador de códigos», pongamos.

Bueno, a estas alturas, ya sabes que este libro no es así.

(Y, no, no pienso ceder ni un ápice en este punto.)

La señora Johnson no podía demostrarlo, pero estaba segura de que Cas y Max-Ernest eran responsables de la desaparición de Benjamin Blake más que de su rescate.

No entraré en detalles en lo referente a las horas que tuvieron que quedarse castigados trabajando después de clase, porque el tema es exasperante para mi sentido de la justicia (sí, tengo sentido de la justicia, aunque debo admitir que no siempre lo aplico). Si tienes una vena sádica, puedes desarrollar esa parte. De no ser así, únete a mí en no recrearte en su sufrimiento.

Por suerte, después de lo que habían pasado Cas y Max-Ernest, cualquier castigo que pudiera imponerles la señora Johnson fue comparativamente fácil de soportar.

Lo que fue más difícil de soportar fue que ni una sola persona los creyera.

El doctor L y la señora Mauvais

No creerás sinceramente que habían sido pasto de las llamas, ¿no?

No puedo contarte mucho sobre los actos de nuestros villanos después de que nuestros héroes escaparan. No sé cuántos de sus clientes murieron quemados (probablemente la mayoría) ni qué horrible precio obligaron a pagar a los que salvaron (probablemente alto). No sé qué siniestros materiales alquímicos consiguieron salvar antes de huir. Aún puedo contarte menos sobre sus viles planes de futuro, aunque me apostaría la vida a que los tenían: por norma general, las criaturas como el doctor L y la señora Mauvais no se dan por vencidas después de un contratiempo, sino que juran vengarse.

Lo que sí puedo asegurarte es que fueron vistos por última vez en la pedregosa cresta de una montaña no lejos del lugar donde se había erigido el Sol de Medianoche. Iban a caballo (¿te acuerdas de los caballos que se desbocaron durante el incendio?) y se habían detenido para contemplar el paisaje y despedirse del balneario que había sido su fortaleza. Luego, dando un grito que se oyó en kilómetros a la redonda, fustigaron a sus caballos y se perdieron de vista.

Cualquiera que fuera su punto de destino, era demasiado cerca. Cuando quiera que regresen, será demasiado pronto.

TREINTA Y DOS

TU VERSIÓN*

* Por favor, escribir únicamente con tinta negra o azul. Adjuntar más páginas si es necesario.

FIN

BUENO, NO, LA VERDAD

CERO
EL DESENLACE

No, el último capítulo no ha sido realmente el último.

No te sientas mal si has invertido mucho trabajo en él; tu esfuerzo no ha sido una pérdida de tiempo. En ese capítulo han pasado muchas cosas importantes, al menos eso pienso yo.

Tengo una idea. Si estás tan enfadado, deja el libro y olvídate de este capítulo, y de Cas y Max-Ernest, y del Secreto, y de mí.

Pues adiós, ¿vale?

¿No? ¿Quieres seguir leyendo?

Muy bien. A ver qué te parece este arreglo: ¿por qué no pensar en tu capítulo —el capítulo treinta y dos— como si fuera el último? En lo que respecta a este, lo convertiremos en el capítulo cero. Si alguien pregunta, le podemos decir que no existe. Es el capítulo nada. El no-capítulo. Sencillamente, no cuenta.

Ni tampoco lo llamaremos «el final». Ese título tan solemne lo dejaremos para tu capítulo. A este capítulo lo llamaremos «el desenlace».

Un diccionario define desenlace como «parte final donde todo se aclara y no queda ninguna pregunta ni sorpresa». Según esa definición, «desenlace» es precisamente la palabra equivocada para describir este capítulo. Este capítulo no aclarará nada, sino que planteará muchas preguntas. Y es posible que hasta incluya una sorpresa o dos. Pero yo propongo que lo llamemos así de todas formas porque el término es muy sofisticado y literario.

¿Sabes?, hubo otro acontecimiento más en la vida de nuestros dos héroes que debo relatar antes de terminar. Y dudo que conocerlo te deje con la sensación de que este relato ha concluido. Si te pareces en algo a mí —y me temo que sí, si has llegado hasta aquí—, lo encontrarás más que nada exasperante.

No es mi intención torturarte. Solo quiero mostrarte que existe un panorama más amplio, que nuestro relato no comienza ni termina con este libro.

Ni con Cas y Max-Ernest.

Ni tan siquiera contigo y conmigo.

Un lluvioso miércoles por la tarde, no mucho tiempo después de su experiencia en el Sol de Medianoche, pero el suficiente para que ya se hubiera hartado de intentar convencer a la gente de que su experiencia era real, Cas estaba en el parque de bomberos, tomándose un té con el abuelo Larry, tal como llevaba haciendo todos los miércoles desde hacía años.

Sin embargo, esta vez no estaban solos. Para regocijo del abuelo Larry, a quien nada le gustaba más que tener nuevo público para sus historias, su ritual de los miércoles había recientemente pasado a incluir al nuevo amigo de Cas, Max-Ernest, y hoy, como invitado especial, a Benjamin Blake.

El té de aquella semana era Earl Grey (conde Gris), un té que Benjamin insistía en que estaba mal llamado porque sabía a azul celeste. (Benjamin también tenía la misma queja del té negro de Ceilán, un té que, según él, sabía a verde oliva; el té verde, por otra parte, no era verde, sino amarillo fuerte.) El abuelo Larry intentó explicar que no se llamaba Earl Grey por su color, sino por Charles Grey, el segundo conde de Grey, también conocido como vizconde Howick. No obstante, sus jóvenes espectadores no parecieron muy interesados en el vizconde, por lo que cambió resueltamente de tema y empezó a relatar una leyenda china antigua y gratamente cruenta sobre el origen del té.*

Fue entonces cuando oyeron los ladridos de Sebastian en la planta baja: había llegado un cliente.

—Es Gloria. ¡Estaré en la trastienda! —gritó el abuelo Wayne desde abajo.

Como de costumbre, Gloria había llegado al parque de bomberos con una caja enorme llena de cosas. Los niños esperaron con impaciencia mientras el abuelo Larry la llevaba a la tienda.

* La leyenda trataba de un monje budista que se dormía siempre que intentaba meditar. Aquel monje se frustró tanto que al final se cortó los párpados. (Lo sé: ¡ayyyyyy!) Según la leyenda, las primeras plantas del té crecieron en el lugar donde cayeron sus párpados. Y esa es la razón de que, hasta hoy, beber té ayude a la gente a mantener los ojos abiertos cuando está cansada.

—Gloria, estos son Max-Ernest y Benjamin. Y te acuerdas de Cas... —dijo cuando por fin encontró un hueco donde dejar la caja.

—Creo que sí —dijo Gloria—. ¿No estaba aquí la última vez?

Cas esperó que siguiera hablando, pero Gloria se limitó a sonreírle con vaguedad, como si apenas la recordara.

—Sí, y también nos vimos en el Sol de Medianoche —comentó Cas, por si Gloria creía que ella no quería que lo mencionara.

—¿El Sol de Medianoche? ¿Te refieres al balneario?

Gloria pareció genuinamente sorprendida.

—Debes de estar pensando en otra persona —dijo—. Tuve una caída terrible justo antes de cuando debía ir al balneario. Pregúntaselo a Larry, él te lo dirá. Me pasé una semana en el hospital. Pensaron que a lo mejor tenía amnesia. Pero ¿cómo te fue? ¡Me muero por oírlo! No sabía que también podían ir niños...

Cas la miró atentamente, esperando ver alguna seña velada —una mirada amenazadora o un guiño de complicidad—. Pero la cara de Gloria carecía de expresión. O creía estar diciendo la verdad o era muy buena actriz.

—Hum... fue... bien —dijo Cas, despacio—. Pero ahora ya no existe...

—Ah, ¿no? —preguntó Gloria, confundida—. ¿Qué quieres decir?

—Cas, ¿puedes hacerme el favor de sacar a Sebastian? Va a comerse la caja si lo dejo —la interrumpió el abuelo Larry antes de que pudiera responder.

—Qué raro —dijo Cas mientras ataba a Sebastian a un poste detrás del parque de bomberos—. Es como si lo hubiera soñado todo. El balneario. La señora Mauvais. Todo.

—Pues no lo has soñado. E incluso si lo hubieras hecho, ¿cómo es que también lo he soñado yo? —protestó Max-Ernest—. A menos que hayamos tenido una alucinación colectiva. O, espera, ya lo sé. ¡A lo mejor somos dos personalidades desdobladas dentro de un único cerebro esquizofrénico! Eso lo explicaría todo…

—No he querido decir que piense realmente que lo he soñado, solo que da esa impresión —dijo Cas, interrumpiéndolo. (Aunque se suponía que Max-Ernest estaba curado, continuaba siendo propenso a hablar por los codos si no lo interrumpían.)

Benjamin, que había estado esforzándose por seguir la conversación, masculló algo y señaló el parque de bomberos.

Dentro, Gloria estaba contando una historia a Larry. Pese a lo alto que hablaba, solo pudieron oír en torno a la mitad de lo que decía:

—… Nunca tan sorprendida… en mi vida… el jardinero… y estaba intentando enseñar la casa…

Conforme escuchaba, Cas se fue entusiasmando cada vez más.

—¡Está hablando de la casa del mago! ¿Creéis que ha descubierto algo?

No pudieron hacer aquella pregunta a Gloria de inmediato, porque la madre de Benjamin Blake había venido a recogerlo. Pero en cuanto ella y su hijo se hubieron ido, Cas y Max-Ernest suplicaron a Gloria que volviera a contar su historia desde el principio. Ella no entendía por qué estaban tan interesados, pero estuvo encantada de complacerles. (Gloria había perdido la memoria, pero no su pasión por ser el centro de atención.) La historia era la siguiente:

Gloria estaba enseñando la casa del mago a unos posibles compradores cuando, como en ocasiones ocurre en momentos embarazosos, «tuvo una urgencia» y tuvo que disculparse para ir «al excusado». Justo cuando iba a entrar en el baño, la puerta se abrió y salió un anciano que llevaba un sombrero de paja e iba cargado con una caja.

Huelga decir que a Gloria «le dio un ataque».

Con mucha calma, como si la hubiera estado esperando, el anciano le explicó que era el jardinero —el que había informado de la desaparición del mago— y que solo estaba vaciando el estudio del mago. Observó que Gloria se había dejado unas cuantas cosas al vaciar la casa.

Le preguntó si sería tan amable de llevar la caja al parque de bomberos. Gloria estaba tan azorada que accedió de inmediato.

—Y aquí está —dijo, dando una palmadita a la gran caja que había traído—. Esa es la historia.

—Bueno, debo decir que esta experiencia no te ha venido nada mal. Estás fabulosa —dijo el abuelo Larry, mirando a la agente inmobiliaria, ahora muy esbelta—. ¿Verdad, Wayne? —gritó al abuelo Wayne, que estaba en la trastienda peleándose con un viejo tocadiscos.

—¡Fabulosa! —convino él, sin alzar la vista.

—¡Es lo que dice todo el mundo! —exclamó Gloria, sorprendida—. Desde esa caída. ¿Sabes?, no puedo evitar pensar que alguien debió de hipnotizarme mientras estaba inconsciente. Es casi como si hubiera ido realmente a ese balneario, ¡en vez al hospital!

Cuando Gloria se hubo marchado, el abuelo Larry dejó entrar otra vez a Sebastian. El abuelo Wayne reapareció —resultó que, después de todo, el tocadiscos no necesitaba repararse con tanta urgencia— y todos, perro incluido, fueron arriba para tomar más té y ver qué había en la caja enviada por el jardinero.

Asumiendo el mando de inmediato, Cas la abrió con un cuchillo de cocina, insistiendo en ser la primera en coger todo lo que había dentro. (Sabía que sus abuelos pensaban que su conducta era un poco egoísta, pero no dijeron nada, probablemente porque no querían reprenderla delante de Max-Ernest.) La caja estaba llena hasta arriba de pequeños objetos envueltos en papel de periódico. Cas los desenvolvió con impaciencia, inspeccionándolos uno a uno en busca de pistas y mensajes secretos. Pero, cuanto más objetos desenvolvía, más claro veía que no había ninguna pista que encontrar. La caja solo contenía platos, tazas y vasos.

Aquello la dejó frustradísima. Había hecho una predicción, o al menos había estado esperando algo. Algo que no había mencionado a sus abuelos, ni tan siquiera a Max-Ernest. Algo relacionado con el jardinero del mago. Pero, por lo que parecía, se había equivocado. El jardinero era exactamente quien decía ser. La caja con cosas no era más que una caja con cosas.

Sus abuelos, por otra parte, no podían creerse la suerte que habían tenido.

—¿No te parece increíble que alguien quiera deshacerse de esto? —preguntó el abuelo Larry, alzando un plato—. ¿Sabes cuánto valen hoy en día las vajillas de Russel Wright?

Llevándose unos cuantos platos de muestra, Larry y Wayne corrieron abajo para compararlos con fotografías de libros que tenían. Cas sabía que aquello les llevaría horas. El jardinero no podía haber elegido mejores cosas que enviar si su intención era distraer a sus abuelos.

—¿Qué quieres hacer ahora? —Porque yo tengo deberes —dijo Cas a Max-Ernest. En verdad, no tenía ningunas ganas de hacer deberes, pero ya no le apetecía mucho tener compañía.

—No sé… Oye, ¿qué está oliendo? —preguntó Max-Ernest—. Ahí dentro no queda nada.

Siguiendo la mirada de Max-Ernest, Cas vio que Sebastian estaba olfateando la caja vacía y meneando el rabo.

—Debe de haber algún hueso debajo —dijo Cas, negándose a parecer muy interesada.

Aun así, cogió la caja y miró debajo: nada.

No obstante, aquella caja tenía algo extraño.

—¿De qué está hecha? ¿Por qué pesa tanto? —preguntó, sacudiéndola.

Volvió a dejarla en el suelo y la miró por dentro. Luego la miró por fuera. Luego, otra vez por dentro.

Esta vez, metió la mano y empezó a levantar el cartón. La caja tenía un doble fondo.

Ocultos debajo del cartón había dos paquetes envueltos en papel y atados con un cordel. El más grande iba remitido a Cas, el más pequeño, a Max-Ernest.

En un momento de mayor sobriedad, Cas podría haber reflexionado sobre los peligros de abrir un paquete inesperado de un perfecto desconocido. No obstante, aquel no era un momento de sobriedad.

Ella y Max-Ernest abrieron inmediatamente su paquete.

Por suerte, los paquetes no contenían explosivos ni estaban preparados para estallarles en la cara.

El de Cas contenía una mochila.

Ojalá pudiera describirte cómo era la mochila. Pero hay muchas probabilidades de que Cas siga llevándola en la actualidad y no quiero darte ninguna pista más de las que ya te he dado para identificarla. De todas formas, no era su aspecto lo que la convertía en una mochila especial. De hecho, al verla, Cas casi se decepcionó de que pareciera tan normal.

Por dentro, no obstante, era otra cosa. La mochila estaba llena hasta los topes del material de supervivencia más moderno del mercado —compacto, ligero y fabricado para resistir en las condiciones más duras y extremas.

Cas no reparó en las mejores características de la mochila hasta haberla vaciado. Me refiero a las cosas que «hacía» la mochila, a diferencia de las que «contenía». Por ejemplo, al tirar de un cordón, se abría un paracaídas. Al tirar de otro, las correas de los hombros se inflaban y la mochila se convertía en un chaleco salvavidas. Si se volvía del revés y se abrían todas las cremalleras, se convertía en una tienda de campaña.

Cas sabía que a su madre no iba a gustarle verla otra vez con mochila (últimamente, había estado intentando que llevara bolso), pero tuvo la sensación de que aquella era una mochila que no iba a querer quitarse jamás.

El paquete de Max-Ernest también lo decepcionó cuando lo abrió. Contenía lo que parecía un aparato portátil muy conocido, una clase de aparato que se ve todos los días, y ni siquiera en una versión muy especial. Pero Max-Ernest solo tardó unos segundos en descubrir que el aparato no era en absoluto lo que parecía. Ni siquiera aceptaba cartuchos de juego. (¡Huy! Casi descubro cómo estaba camuflado.)

Tenía un frente falso que se levantaba al tocar un botón oculto. Debajo, había una pequeño ordenador/escáner especialmente diseñado para descifrar códigos secretos: el ULTRA-Decodificador II. Como Max-Ernest comprobaría después de experimentar durante un rato con él, el decodificador incluía claves para descifrar todos los códigos conocidos y herramientas para descifrar códigos desconocidos. Su memoria contenía diccionarios enteros y software de reconocimiento de caracteres para más de mil lenguas, incluyendo el arameo, el sánscrito y el navajo. Hasta podía leer jeroglíficos egipcios.

Una cosa que no hacía era contar chistes.

De todas formas, le encantó.

—¿Estáis bien ahí arriba? —gritó el abuelo Larry.

—¡Sí! —le contestó Cas.

Estaban preparados para esconder los paquetes si Larry subía. Pero, al parecer, él y Wayne aún no habían terminado de documentarse sobre sus nuevos platos.

Al cabo de un momento, Max-Ernest se había puesto a traducir el término «pedo» a todas las lenguas que se le ocurrían (alguien le había dicho que los chistes de pedos hacían mucha gracia) y Cas estaba echando otro vistazo a su linterna —que resultó no ser únicamente una linterna, sino también una sirena, un rastreador y un radiotransmisor.

Entre la lluvia y el vapor generado por tanto té, la ventana de la cocina se había empañando tanto que no se veía nada a través del cristal. Cada vez que la luz incidía en él, miles de gotas diminutas se iluminaban brevemente y luego desaparecían. Aquello debió de suceder media docena de veces antes de que Max-Ernest despegara los ojos del decodificador y lo viera.

—¡Mira! —dijo, pero, para entonces, la luz ya había dejado de incidir en el cristal.

Le costó conseguir que Cas apuntara su linterna al punto justo de la ventana, pero ella dio finalmente con él.

Y entonces también lo vio.

Alguien había escrito un mensaje en el cristal —igual que cualquiera podría haber hecho mientras, por ejemplo, iba sentado en un autobús junto a una ventanilla empañada—. Pero aquel mensaje no estaba escrito con el dedo. Parecía escrito con algún instrumento fino. Y no decía nada similar a «Pepe ha estado aquí» o «Juan + Rita = Amor». De hecho, ni siquiera parecía estar escrito en ningún idioma conocido.

Estaba escrito en clave.

Para cuando comenzaron a descifrarlo, la ventana estaba desempañándose y el mensaje borrándose.

Max-Ernest cogió un cuaderno de la repisa de la cocina. Escribió como si estuviera sumido en una especie de delirio, la clase de delirio que solo sucede cuando se ha comido demasiado algodón azucarado o se está intentando transcribir un mensaje secreto antes de que se borre para siempre.

He aquí la primera línea tal como estaba escrita en la ventana.

SPQFJTCLP RTPTKCOT Y JTX-SOKSPQ:

Durante varios minutos, los niños estudiaron aquella mezcolanza de letras cada vez más frustrados.

Entonces, Max-Ernest alzó la vista y sonrió.

—¿A qué se parece J-T-X guión S-O-K-S-P-Q?

Cas se encogió de hombros. No tenía la menor idea.

—Bueno, ¿y si «X» fuera la letra «X», incluso en clave...?

—¡Es tu nombre, Max-Ernest! —dijo Cas.

—Eso es. ¿Qué te parece?

—Lo cual significa que la «J» es la «M», y la «T» la «A».

—Y la «S» es la «E», la «O» la «R», la «K» la «N», la «P» la «S» y la «Q» la «T».

Utilizando uno de los bolígrafos rojos del abuelo Larry (Larry aún conservaba muchos de su época de profesor de instituto), Max-Ernest reescribió la primera línea del mensaje, sustituyendo las letras en virtud de la fórmula que acababa de encontrar. Esto es lo que obtuvo:

ESTFMACLS RASANCRA Y MAX-ERNEST:

—«Estimados Casandra y Max-Ernest» —leyó Casandra, deduciendo las letras que faltaban por descifrar—. ¡Es una carta para nosotros!... Oye, ¿no deberíamos utilizar tu decodificador?

Era un código casi demasiado sencillo para el decodificador. Habiendo llegado hasta allí, Max-Ernest podría haber descifrado solo el resto del mensaje, pero le habría llevado mucho más tiempo. El decodificador hizo el trabajo en menos de un segundo.

También les dijo que la palabra clave era «TERCES».*

* Si quieres aprender a descifrar un código secreto basado en una palabra clave, consulta el apéndice.

—¿«Terces»? ¿Qué significa eso? preguntó Max-Ernest—. No creo ni que sea una palabra.

—No sé. A lo mejor lo averiguamos si leemos la carta —dijo Cas, que se sentía como si llevara años esperando para leerla en vez de unos minutos.

Es difícil describir los sentimientos que experimentaron nuestros dos amigos cuando Max-Ernest leyó en voz alta la carta transcrita en la pantalla de su decodificador. Creo que incluso alguien a quien se le diera bien sentir —y a mí, como tú bien sabes, no se me da bien—, habría tenido dificultades para poner nombre a aquella particular mezcla de emociones.

Hubo unos cuantos sentimientos de los de siempre más fáciles de identificar tales como felicidad. Emoción. Orgullo. Preocupación. Miedo. Pero hubo otros sentimientos más indefinidos y difíciles de concretar tales como: notar un vacío en el estómago que indica que algo es o muy bueno o muy malo o ambas cosas. Tener la impresión de ser viejo y joven al mismo tiempo. Sentir que principio y final se funden de forma indisoluble. Tener la certeza de que la propia vida está cambiando, pero no saber cómo lo está haciendo ni si eso es o no deseable.

También hubo un sentimiento que combinó simultáneamente confusión, reconocimiento y diversión.

Aquel sentimiento estuvo provocado por el modo como estaba escrita la carta.

Lo curioso era que, incluso después de haberla descifrado, la carta no parecía del todo escrita en su mismo idioma. Parecía extranjera.

Extranjera de un modo familiar.

Extranjera de un modo que hizo pensar a Cas y Max-Ernest en un viejo amigo.

He incluido la carta a continuación con una supresión poco importante pero necesaria. La carta, a mi juicio, habla por sí sola.

Así que yo me despido. Por ahora.*

Estimados Casandra y Max-Ernest:

Mi enhorabuena por ser escapados del Sol de Medianoche.

Rescatando al niño, Benjamin Blake, no solo le habéis propiamente salvado la vida, sino que habéis prestado un servicio al mundo entero, impidiendo que los malhechores se hagan con el grande poder.

Por desgracia, la señora Mauvais y el doctor L también han logrado escapar. En este mismo instante, están a reunir un ejército. Y con cada día que pasa son más próximos al Secreto. El Secreto no está lo que ellos creen, mas eso está aún más motivo para que hayamos de protegerlo de ellos.

Habemos muy poco tiempo. Muchas vidas son en juego.

En reconocimiento por vuestra audacia y talentos sin par, os invito mediante esta carta a estar miembros de la Sociedad Terces y a sumaros a nuestra lucha contra los señores del Sol de Medianoche.

Entended esto: una vez juréis fidelidad a Terces, vuestras vidas ya no volverán a estar las mismas. Habréis de enfrentaros a peligros y priva-

* ¿Lo ves? Ya te había avisado acerca de los finales.

ciones. Y habréis de obedecer todas las órdenes sin rechistar.

Si decidís de uniros a nuestra noble causa, dejad un xxxxx xxxx a esta ventana el próximo miércoles.

El hombre al que llamáis Owen os encontrará y os traerá con nosotros.

Entretanto, vigilad por favor al niño, Benjamin. Está más valioso de lo que os podéis imaginar.

Os suplico que os unáis a nosotros. Sin vosotros, me temo, nos estará imposible lograrlo.

Soy seguro de que no hace falta que os lo diga: no habléis a nadie de esta carta. Porque ahora sois entrados al círculo del Secreto. Y la vida de cualquiera que conoce el Secreto es en grave peligro.

Con la mayor admiración y respeto,

P. B.

APÉNDICE*

Receta del abuelo Larry para fabricar una brújula

Para fabricar una brújula en una palangana de agua necesitas un imán, un corcho y un alfiler (o clip de papel). Sujeta el alfiler por un extremo y frótalo con el imán de la cabeza a la punta, solo en una dirección. Nunca lo frotes en la dirección contraria. Repítelo veinte veces o más hasta que el alfiler esté totalmente imantado. Luego, clávalo en el corcho. Coloca el corcho en la palangana de agua. El corcho flotará y rotará hasta que el alfiler señale el norte. Así se orientaban los marineros antes de que se inventara la brújula moderna. No dudes en

* Habitualmente, «apéndice» significa «prolongación delgada y hueca que está al final de intestino ciego», pero, en este caso, significa «información suplementaria que acompaña al texto principal». ¿O son las dos cosas lo mismo? Piénsatelo bien antes de insultar a este libro.

compartir esta información; no es un secreto. Únicamente, no digas a nadie de dónde la has sacado.

Mezcla superenergética de Cas

Nota del autor: yo nunca he probado esta receta, pero Cas tiene plena confianza en ella.

Ingredientes:
¼ de taza de chocolate troceado
¼ de taza de orejones troceados
¼ de taza de plátano deshidratado troceado
¼ de taza de patatas fritas de bolsa troceadas
… ¡y siempre sin pasas!

Instrucciones

Trocear el plátano desecado y las patatas fritas de bolsa metiéndolos en un cuenco grande y aplastándolos con una taza. (Intenta que todos los trozos sean del mismo tamaño: unos cincuenta milímetros de perímetro.) Añadir el chocolate y los orejones, que se habrán troceado aparte. Meter en una bolsa de cierre hermético. Cerrar la bolsa. Comer en situaciones de emergencia. O cuando no te gusta lo que hay para cenar.

Glosario circense

He aquí algunos ejemplos de la jerga que aprendieron los hermanos Bergamo cuando estuvieron en el circo. Pueden serte muy útiles si decides escaparte y unirte a uno.

Ágil Persona que realiza elementos de flexibilidad y equilibrios encima del portor (véase más adelante) o grandes saltos acrobáticos mediante lanzamientos de los portores para volver a caer sobre ellos o en el suelo.

Ambulante Que va de un lugar a otro sin tener asiento fijo, o que realiza una actividad yendo de un lugar a otro, como hace el circo.

Augusto Payaso de circo.

Caballista Jinete hábil y que entiende de caballos. Artista ecuestre.

Carpa La tienda donde se desarrolla el espectáculo circense. Donde los hermanos Bergamo vieron por primera vez al director de pista que luego los vendería por unos pocos dólares.

Gancho [el término no es exclusivo de la jerga circense] Los ganchos trabajan para el circo pero fingen ser clientes normales y corrientes impresionados por las atracciones de las barracas de feria para que la gente se anime a gastarse el dinero. Piensa en los padres en una función de teatro escolar. ¿Sabes lo muchísimo que aplauden siempre, incluso cuando sus hijos desafinan o se traban? Los padres son unos ganchos tremendos.

Hombre bala Un hombre bala es una persona que se expulsa a modo de bola de cañón desde un cañón especialmente diseñado para ello. El impulso no es proporcionado por la pólvora, sino por un muelle elástico o un resorte de aire comprimido. El hombre bala aterriza en una red horizontal. Al aire libre, el lugar de aterrizaje puede ser una zona con agua superficial. El primer hombre bala actuó en 1877. Curiosamente, fue una muchacha llamada «Zazel» de 14 años. ¿Te imaginas volar por los aires como si fueras una bala de cañón?

Feriante Trabajador de una feria. A veces, le faltan todos los dientes. Nunca es de fiar. Por supuesto, un circo y una feria no son exactamente lo mismo. Pero el circo al que se unieron los hermanos Bergamo tenía elementos de las dos cosas. ¡Podría decirse que era lo peor de los dos mundos!

Funámbulo Persona que se dedica a hacer ejercicios sobre la cuerda floja o sobre el alambre.

Mentalismo Arte de ejecución en la cual el practicante utiliza la agilidad mental, principios de la magia escénica o la sugestión para llevar a cabo una ilusión de lectura mental. Un ejemplo es el número de los hermanos Bergamo.

Portor Acróbata que sostiene o recibe a sus compañeros, ya sea en los equilibrios de tierra, ya en los ejercicios aéreos.

Siameses Los gemelos que nacen unidos por alguna parte de su cuerpo. Pueden exhibirse en una de las barracas de feria que rodea a un circo.

Tramoya Máquina o conjunto de máquinas que se utilizan para cambiar los decorados y para producir los efectos escénicos deseados.

Transformista Actor o payaso que cambia rapidísimamente de trajes y de personajes para interpretar.

Troupe Agrupación de los artistas y profesionales que participan en una función circense. Pronúnciese «trup».

Volatinero Persona que hace ejercicios acrobáticos andando o saltando por el aire sobre una cuerda o alambre.

Códigos basados en palabras clave

La carta secreta que Cas y Max-Ernest recibieron de la Sociedad Terces estaba escrita en un código basado en una palabra clave. Si quieres intentar cifrar o descifrar una carta utilizando un código de este tipo, he aquí el modo:

En un código de este tipo, las primeras letras del alfabeto se sustituyen por la palabra clave. Por ejemplo, si tu palabra clave es TERCES, la «A» se sustituye por la «T», la «B» por la «E», la «C» por la «R», la «D» por la «C» y la «E» por la «S». (Te saltas la segunda «E» de TERCES porque no se pueden repetir letras.) Después de las letras de la palabra clave, el alfabeto continúa normalmente, restándole las letras que ya se han establecido. Por tanto, en este caso, la «F» se sustituye por la «A», y la «G» por la «B». No obstante, la «H» no se sustituye por la «C», porque la «C» ya se ha utilizado para la «D»; en vez de eso, la «H» se sustituye por la «D».

Al final, tu código queda así o, mejor dicho, QU RLCFBL NUSCT TPF:

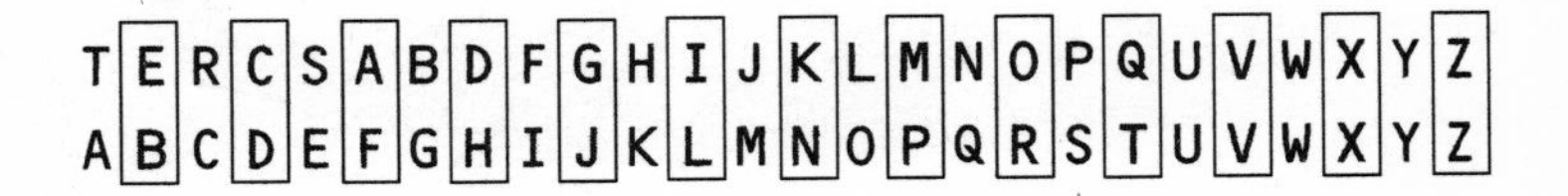

T	E	R	C	S	A	B	D	F	G	H	I	J	K	L	M	N	O	P	Q	U	V	W	X	Y	Z
A	B	C	D	E	F	G	H	I	J	K	L	M	N	O	P	Q	R	S	T	U	V	W	X	Y	Z

Una recomendación personal

Los lectores cuyos conocimientos en egiptología sean tan vergonzosamente deficientes como los de Casandra, no harían mal en coger un ejemplar del Libro de los muertos de los egipcios, conocido también como el *Papiro de Ani*. Esta guía para el otro mundo incluye muchos hechizos e instrucciones importantes para tener éxito en la otra vida. ¡También es una útil introducción al mundo de los vivos en el antiguo Egipto!

El truco de cartas de los hermanos Bergamo

Este es uno de los trucos de cartas que los hermanos Bergamo realizaban cuando empezaron a aprender magia. Naturalmente, lo realizaban en la cubierta de un barco y con una auténtica baraja de cartas, pero te harás una idea.

Elige una de las seis cartas que aparecen a continuación y concéntrate en ella.

Sigue pensando en ella antes de mirar la página siguiente. En ella aparecen de nuevo todas las cartas, salvo la carta en la que te has estado concentrando.

Tu carta no está, ¿verdad?

¿Crees que es mera coincidencia? Pruébalo otra vez. Vuelve a la página anterior, elige otra carta y concéntrate en ella. Luego, pasa página y mira si está…

¿Quieres probar el truco con otra persona? Pásale este libro y dile que elija una carta. Aún mejor, olvida el libro. Coge una baraja de cartas y monta un espectáculo.

Si todavía no has averiguado el secreto, te explicaré en qué consiste el truco. Pero recuerda que la primera regla para ser un mago reside en no revelar tus trucos, así que no se lo cuentes a nadie más, por mucho que te suplique, ruegue o amenace.

Vas a necesitar una baraja de cartas y un sombrero de copa. (Un sombrero de vaquero también sirve. ¿Una gorra de béisbol? No tanto. Un mago debe tener estilo.)

Antes de que llegue tu público:

Separa todas las figuras de la baraja.

Ahora, divídelas en dos grupos de seis cartas cada uno.

Cada grupo de seis debe incluir: un rey negro y uno rojo, una dama negra y una roja, una jota negra y una roja.

Quita una carta de uno de los grupos y vuelve a colocarla en la baraja original. Ahora tienes un grupo de cinco cartas y uno de seis.

Esconde el grupo de cinco cartas en tu sombrero. Si tiene una cinta alrededor de la parte interior, prueba a meterlas debajo. De esa forma, puedes llevarlo sin que las cartas se muevan de sitio.

Coloca las otras seis cartas boca arriba en una mesa.

Ya estás listo para empezar.

Di a uno de tus espectadores, preferiblemente un hermano al que quieres fastidiar, que elija una de las cartas extendidas en la mesa. Pídele que no diga el nombre de la carta en voz alta. En vez de eso, tiene que concentrarse en la carta, con todas sus fuerzas.

Si llevas puesto el sombrero, quítatelo, teniendo mucho cuidado de que las cartas escondidas no se te caigan. Luego, recoge las cartas de la mesa y mételas también en el sombrero. Pero asegúrate de no mezclar los dos grupos de cartas.

Tras un oportuno intermedio en el que finges concentrarte en las cartas y, quizá, vuelves incluso a ponerte el sombrero, saca el grupo de cartas escondido (el grupo que solo tiene cinco cartas) y extiéndelas en la mesa.

Pregunta a tu víctima —a tu espectador, quiero decir—, si su carta está en la mesa.

Allí no habrá ninguna de las cartas originales, porque las tienes dentro del sombrero. Pero tu público creerá que solo falta una carta.

¡Y ya está!

FIN

DE VERDAD